# PEQUENA HISTÓRIA DA MÚSICA

OBRAS COMPLETAS DE MÁRIO DE ANDRADE

VIII

PEQUENA HISTÓRIA DA MÚSICA

DIREITOS RESERVADOS PELA
LIVRARIA MARTINS EDITÔRA
SÃO PAULO

IMPRESSO NO BRASIL
(PRINTED IN BRAZIL)

LIVRARIA MARTINS EDITÔRA
RUA ROCHA, 274 — SÃO PAULO
EDIFÍCIO MÁRIO DE ANDRADE

# PEQUENA HISTÓRIA DA MÚSICA

★

6.ª EDIÇÃO

★

LIVRARIA MARTINS EDITÔRA
SÃO PAULO

*A*
*Renato Almeida*

Carlos Gomes — litografia Doyen, Turim — Col. M. de A.

# NOTA PRELIMINAR (*)

Da presente edição da Pequena História da Música, retirou-se a Discoteca. Encarecia muito o livro e era de pouco uso nestes tempos de guerra, em que o comércio de discos é incerto e fraco.

Em compensação e graças à paciência de Sônia Sterman, a quem sou tão grato, foi acrescentado um índice analítico. E como as datas foram eliminadas o mais possível para não embaraçar a leitura, as de nascimento e morte dos artistas citados vêm nesse Índice Analítico. Também neste se esclarece o sentido de várias palavras técnicas, cuja definição não coube no texto.

Usou-se a maiúscula para salientar os têrmos técnicos, principalmente na primeira vez em que aparecem no livro.

M. de A.

---

(*) Nota feita pelo autor para a edição de 1944.

# ÍNDICE

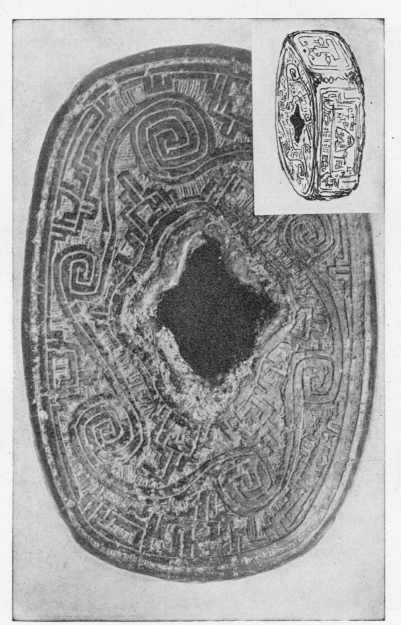

Maracá de cerâmica, proveniente das jazidas de Marajó — Col. da Sra. Chermol, Rio

Egito — Cena de execução musical e dansa — 5.ª Dinastia, quase trinta séculos A. C.
Museu do Cairo

Grécia — A grafia musical — Fragmento da "Oréstia"
de Eurípides — Biblioteca Nac. de Viena

Grécia — O Ditirambo — Museu Nacional de Nápoles

# CAPÍTULO I

# MÚSICA ELEMENTAR

É comum afirmarem que a Música é tão velha quanto o homem, porém talvez seja mais acertado falar que, como Arte, tenha sido ela, entre as artes, a que mais tardiamente se caracterizou.

O nocionamento do valor decorativo de qualquer criação humana, seja o objeto, o gesto, a frase, o canto, muito provàvelmente derivou do tècnicamente mais bem feito. Um machado de pedra mais bem lascado, uma lança mais bem polida, o próprio gesto mais bem realizado, ao mesmo tempo que mais úteis e eficazes, tornam-se naturalmente mais agradáveis. Já o canto, a música, porém, para reunir à sua manifestação o valor estético do agradável, do decorativo, parece exigir mais que a ocasionalidade do apenas mais bem feito. Êste valor estético do decorativo exige nela maior organização da técnica, sons fixos, determinação de escalas, etc. E pela sua própria função mágico-social, a música primitiva se via impedida de nocionar o agradável sonoro.

Com efeito, é muito sabido que os espíritos, os seres sobrenaturais concebidos pela mentalidade primitiva, são mais ruins que bons. O deus bom é vaguìssimamente nocionado e os primitivos se desinteressam dêle, exatamente porque bom, incapaz de os

prejudicar.  Ao passo que os demônios, a própria
caça, o próprio vegetal alimentar sujeito, pra ser bom
(útil), ao decorrer das estações, são entidades mal-
fazejas, más, horríveis que ou é preciso afastar duma
vez, amedrontando-as, ou torná-las propícias, abran-
dando-as.  Dêsse princípio derivam tôdas as magias e
incipientes religiões primitivas.

Ora na fabricação de ídolos, de máscaras, na
ideação lírica dos mitos e lendas, na gesticulação das
dansas imitativas, por mais feios que fôssem os demônios, os objetos e coreografias inventados, si tècnicamente mais bem feitos, êles se tornavam, sem que-
rer, mais estéticos — o valor da beleza artística in-
dependendo enormemente (embora não completamente) da feiúra do assunto.  Ao passo que na música vocal ou instrumental, a procura do feio, do som
assustador, sibilante, estrondante, da procura do mis-
tério deshumano e antinatural, impedia o nocionamento do valor sonoro estético.  Quanto mais horrí-
vel o som, mais êle se tornava útil, capaz de afastar
ou de abrandar, por identidade, os demônios (¹).

E com efeito, si observarmos os povos primitivos atuais, somos forçados a reconhecer que, na grande maioria dêles, a música é a menos organizada entre as artes, e a menos rica de possibilidades estéticas.
Não a menos importante nem a menos estimada, mas
a menos livre, a menos aproveitada em suas poten-
cialidades técnicas e artísticas.  As artes manufatu-
radas e quase tanto como elas, a dansa, atingem freqüentemente, entre os primitivos, uma verdadeira vir-

---

(1)   Veja a opinião de Curt Sachs, na nota (5) da pág. 24.

tuosidade. As artes da palavra, na poesia das lendas e mitos, nas manifestações da oratória, se apresentam já bastante aproveitadas e tradicionalizadas como técnica. De tais manifestações já podemos, por nossa compreensão de civilizados à européia, dizer que são artes legítimas porque sujeitas a normas técnicas concientemente definidas, e, embora sempre rituais, já dotadas de valor decorativo incontestável, que a nós, já nos é possível apreciar. Aspectos que a música dos primitivos apresenta em estado ainda muitíssimo precário.

O que a gente pode afirmar, com fôrça de certeza, é que os elementos formais da música, o Som e o Ritmo, são tão velhos como o homem. Êste os possue em, si mesmo, porque os movimentos do coração, o ato de respirar já são elementos rítmicos, o passo já organiza um ritmo, as mãos percutindo já podem determinar todos os elementos do ritmo. E a voz produz o som.

Dêsses dois elementos constitutivos da música, o mais rápido a se desenvolver é o ritmo. Fazendo parte, não só da música, mas de poesia e dansa também, sendo mesmo a entidade que une essas três artes, e lhes permite se manifestarem juntas numa arte só, é perfeitamente compreensível que êle se desenvolva em primeiro lugar. E foi, aliás, pela observação da importância primacial que tem o ritmo na organização da vida humana, tanto social como individual, que Hans de Buelow, parafraseando a Bíblia, disse aquela sua espirituosa frase: "No princípio era o Ritmo"...

Os dois elementos constitutivos da música são encontráveis em todos os povos primitivos atuais. E, com efeito, o ritmo bastante desenvolvido, o som, no geral, em estado muito elementar. Entre os *Vedas*, do Ceilão, que não possuem nenhum instrumento (como, de resto os outros povos do ciclo cultural mais primário que se conhece), o próprio canto não está generalizado. Entre as poesias rituais colhidas dos índios do Brasil, algumas são entoadas sôbre um som só, de princípio a fim, a-pesar-de muitas vezes atravessarem a noite. Embora o ritmo esteja quase sempre bem desenvolvido e principalmente bastante complexo, como se pode ver do exemplo abaixo, penso que não se pode ainda chamar uma coisa dessas de "música". Não passa duma dicção, horizontalizada dentro de um valor sonoro mais ou menos definido.

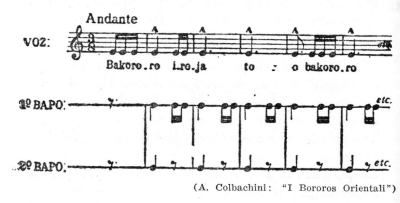

(A. Colbachini: "I Bororos Orientali")

O som se manifestou mais tardonho em seu desenvolvimento. As músicas primitivas que possuimos são no geral pouco sonoras. Se observe, por exemplo, esta dialogação coral dos índios Borôros:

(Karl von den Steinen: "Unter den Naturvoelker Zentral-Brasiliens")

Observe agora a complexidade rítmica e a pobreza melódica dêste canto feminino na dansa Tucui, colhida entre os índios Macuxis e Vapichanas, do extremo-norte amazônico:

(T. Koch-Gruenberg: "Vom Roreima Zum Orinoco")

Eis ainda, pobre mas bonito, um Canto-de-Bebida dos índios Coroados, tendo a curiosidade excep-

cional entre os documentos brasílicos, de apresentar
vaga analogia com músicas do Perú incaico:

(Spix e Martius: "Reise in Brasilien").

Várias causas levam os chamados "primitivos" a
essa música pouco melodiosa e predominantemente
rítmica. Em primeiro lugar vem a própria circunstância do ritmo ser mais dinamogênico que a melodia
em si. Agindo com grande poder sôbre a parte física do ser, êle provoca, mais que outro qualquer elemento estético, seja o som seja a côr, seja o volume,
uma ativação muito forte do ser biológico total, não só
físico, mas na complexidade maior do seu psiquismo
também.

Os primitivos são gente que se desenvolve em
"estado natural", por assim dizer. Nêles, em tudo
a manifestação da inteligência lógica (que é apenas
uma das partes, a parte conciente do nosso psiquismo) tem menor importância que a geral manifestação psico-fisiológica, e por esta se deixa levar. Se a
despreocupação pela inteligência lógica os priva de
de uma concepção mais técnica, mais prática da existência, por outro lado, o exercício constante das ou-

tras partes do ser, bem como a violenta luta pela
vida, os leva a desenvolver extraordinàriamente certas faculdades do corpo, o faro, a tactilidade, os instintos e pressentimentos. O corpo é, para os primitivos, uma espécie de primeira conciência, uma inteligência física de maravilhosa acuidade. Nada mais
natural, pois, nada mais necessário mesmo, que o
treino freqüente dessa primeira conciência, dêsse
corpo intuicionante, e a ativação, o reavivamento das
suas faculdades. Ora, o ritmo interessa muito mais ao corpo que o
som. O ritmo "mexe" com a gente. E si, por um la-
do. era portanto mais apto para aguçar as faculdades
do corpo, ainda pelos seus valores dinamogênicos produzia a absorção do indivíduo pela coletividade, so-
cializando-o, lhe determinando o movimento coletivo.
Embora os primitivos não atinjam grande variedade
rítmica conciente, o certo é que, em suas manifestações musicais, dão predominância enorme ao ritmo.
  Outra causa importante, que leva os povos em
estado natural a desenvolverem muito pouco a sonorização da música, é a dificuldade de criar instrumentos melódicos deveras ricos. Espanta mesmo
imaginar que só dentro da Civilização Cristã, é que
o homem conseguiu construir instrumentos como o
órgão, o violino, a flauta e o piano atuais. As próprias grandes civilizações da Antiguidade ou extra-
européias, se utilizaram de instrumentos que, na maioria infinita dos casos, são meras estilizações do ruído.
Por mais sonoros que sejam certos instrumentos chins,
javaneses, indianos, assírios, egípcios, no geral se baseiam na percussão. O princípio dêsses instrumentos é qualquer espécie de golpe, que produz as vibrações irregulares do ruído ou já regulares do som.
Porém êste som é incapaz de se sustentar, de se pro-

longar, de conservar a intensidade até o som seguinte
e a êste se ligar. De forma que a linha melódica
existente importa menos, pois cada som, desligado do
anterior e do seguinte, conserva a sensação de um
fenômeno isolado ([2]).

Só mesmo os instrumentos de sôpro, sobretudo
os se aproximando da gaita, é que se desenvolveram
melòdicamente com os primitivos. E ainda assim estavam longe de atingir as possibilidades melódicas da
nossa flauta, do oboé, do saxofone. Entre os nossos índios, por exemplo, a gente encontra sempre
muitas gaitas. Algumas dão um só som. Outras são
mais ricas, atingindo maior número de sons, quer as
baseadas no princípio de Sirinx quer as compostas
de um só tubo com orifícios, que-nem as flautas Zo-
ratealô, Teiru e Zaolocê, dos índios Parecis, mencionadas por Roquette Pinto, na "Rondônia".

No geral os instrumentos dos primitivos são muito pouco melódicos. Dão sonoridades bulhentas, ca-
vernosas, roucas, ou produzem apenas ruídos. Os
nossos índios fabricavam instrumentos com o que a
natureza lhes proporcionava. Eram principalmente
instrumentos de percussão: tambores às vêzes feitos
com troncos de árvores, como o Curugu e o Va-
tapi; cabaças esvaziadas, reenchidas com pedri-
nhas, semelhantes, coisas assim, como o Maracá tra-

---

(2)  Tanto mais que a gente não pode conceber nem como tonalidades, nem como modo, a bem dizer nem mesmo muitas vezes
como escalas, as séries de sons usadas pelos povos naturais. Tais
séries, além de no geral curtas e deficientes não implicam uma
hierarquia sonora organizada e prestabelecida. A base natural
dessas séries fica reduzida ao mínimo elementar de um, dois sons,
mais repetidos que os outros — sons predominantes que se pode
explicar como apoios instintivos de memória sonora. Não são ainda
a Tônica, a Dominante — muito embora derive dêsse primário
apôio mnemônico, a função estrutural futura dos sons modais e
tonais.

dicional, o Bapo e o Xuatê; união de dentes de animais, conchas, sementes em cordéis que amarravam no tornozêlo, como o Butori, ou prendiam numa haste, como o Cotecá. Entre os instrumentos de sôpro havia ora simples gomos de bambus, às vêzes soprados com o nariz, que-nem o Tsin-Hali, dos Parecis, ora complicadas junções de cabaças pequenas, como a Pana, dos Borôros; ora feitos com ossos de veados, onças, etc., como o Uatotó, dos Macuxis, e até com ossos humanos de inimigos, como refere Gandavo. E o búzios.

Música, pois, predominantemente rítmica, muito pouco melodiosa, socialística e estreitamente interessada, no geral monótona e buscando favorecer, pela própria monotonia depauperando a conciência, os efeitos mágicos da encantação. Jamais não se libertou da função religiosa, mágica e social. O explorador Felix Speiser nos dá excelente prova disso quando conta que os índios Aparais eram incapazes de cantar por cantar, embora se divertissem com muito gôsto quando qualquer homem da expedição Speiser se punha cantando livremente. Frances Densmore faz essa mesma observação a respeito dos índios da América do Norte, a generalizando a todos. O dr. Herman Unger refere que os indígenas do estreito de Behring, embora se prestando a cantar seus cânticos cerimoniais para que os exploradores os escutassem, se recusaram a fazer isso quanto aos cantos fúnebres, por não haver nenhum defunto ali. E Hornbostel afirma categòricamente não se dever chamar arte a música dos primitivos, por não servir de elemento recreativo nem ser feita "para edificar estèticamente o espírito". Música mágico-ritual, transmitida sempre cuidadosamente de geração em geração e guar-

dada com zêlo pelos feiticeiros da tribo. Até às vêzes proíbem às mulheres escutar o som de certos instrumentos sagrados e ver certas dansas. Magia, religiosidade, rito propiciador de espíritos, defuntos e
trabalhos coletivos.

Fisiològicamente, ela se caracteriza por ser uma
"expansão" impulsiva e instintiva do movimento sonoro, despreocupada de se organizar em constâncias
fisiológicas, quer de emissão do som, quer até mesmo
das batidas do ritmo. Ora, como diz R. Lachmann
muito bem: para o impulso sonoro vocal em si, não
interessa absolutamente a predefinição de sons fixos;
essa expansão impulsiva do ser vocal não implica sons
fixos, nem graus escalares nem intervalos determinados, não existe de forma alguma o preconceito de afinação e desafinação — tudo é Som. E só o som importa. Da mesma forma o próprio ritmo é pura expansão
impulsiva dos acidentes verbais da dicção e suas exigências fisiológicas da respiração, da movimentação
coreográfica do corpo, e do princípio "arsis" e "thesis", movimento e repouso, não acentuação e acentuação. E, pois, essa expansividade impulsiva e instintiva do movimento sonoro, tanto melódico como
rítmico e mesmo harmônico, é de determinação in-
trìnsecamente inconciente, derivada apenas das exigências e leis fisiológicas, modificada apenas pela va-
riabilidade antropogeográfica das raças, e condicionada apenas pelos ciclos culturais das tribos. É o
corpo que se bota a cantar e se expande em voz. Numa voz qualquer, puro movimento vital. Mas como
qualquer movimento vital se diferencia entre um inglês e um turco, entre um tuberculoso e um homem
são, entre um sacerdote e um pedreiro, entre uma
criança e um adulto: são também as diferenciações

físico-raciais-sociais-culturais, que diferenciam êsses
cantos primitivos. Genèricamente: a sua expansividade impulsiva se manifesta por livre emissão sonora, com maiores valores dinâmicos no início do canto,
e tendência para uma queda do agudo para o grave,
determinada pelo cansaço físico. Se pode bem in-
ferir daí que tôdas as nossas" traduções" em notação
musical européia, dessas músicas primitivas, não são
apenas um abuso sempre abortado, mas uma deformação absurda, a mais deturpadora das convenções.
Tècnicamente, a música dos primitivos se define
pela repetição, em uníssono geralmente coral, de motivos rítmico-melódicos. No geral motivos bem curtos, ou se repetindo sempre, ou voltando periòdicamente, facilitando a memoriação e convencendo pela
repetição. Muito raramente aparecem pequenas polifonias, no geral movimentos paralelos de quartas
ou de quintas, obrigando a êstes intervalos a intuição
instintiva dos sons harmônicos. E se aparecem também até intervalos harmônicos de segundas: nem
quartas, nem quintas, nem segundas derivam de
qualquer intuição mesmo rudimentar de consonâncias e dissonâncias, mas simplesmente do fato do
primitivo se expandir sonoramente, sem depender de
afinação ou desafinação. Da mesma forma, si o
ritmo é de grande complexidade às vêzes, êle não
tem a menor liberdade musical, se baseia num e
repete infindàvelmente um valor único de tempo,
incapaz de ajuntar êsse valor por grupos (nocionamento do compasso), absolutamente incapaz de qualquer contrariação conciente dêsse valor, por meio
de contratempos ou sincopações. Tudo dependendo
exclusivamente dos levantamentos e repousos de
gestos e passos da dansa, e principalmente das palavras dos textos cantados. Música, em conciência,

valendo única e tão-sòmente por causa das palavras
que estão nelas, e que muitas vêzes nem os próprios
primitivos e seus pajés entendem mais, de tão deformadas através da tradição. Música sempre com palavra, raríssimo puramente instrumental. Música
que às mais das vêzes não chega a ser Arte, pois não
parece estar já condicionada por qualquer interêsse
estético, qualquer nocionamento da beleza sonora.
Não permite nenhuma liberdade, nenhum lirismo,
nenhuma evasão para os campos do prazer desinteressado (³).

---

(3) Não há contradição nenhuma no constatar que os povos
primários produziram culturas orientadas pela parte física do homem, e a afirmação, que virá adiante, dêles terem precisão de compreender tudo, e por isso esclarecerem sempre a sua música por
meio de textos. Sentiam o efeito fisiológico das manifestações
musicais que empregavam, porém, *careciam de entender* em consciência essas manifestações, para que elas tivessem uma razão de ser
dentro da vida urgente que levavam. Daí unirem sempre palavras às músicas, fazendo estas funcionarem como magia, religião,
rito social. Isso até foi mais um processo para tornar profundamente contrariadora na manifestação artística (procura do prazer
desinteressado) a manifestação musical dêles...

CAPÍTULO II

# MÚSICA DA ANTIGUIDADE

O que distingue especialmente dos primitivos, a manifestação musical das civilizações antigas é... o descobrimento da música. Si é verdade que certos cantos dos africanos, dos ameríndios aitngem às vêzes um grau legítimo musicalidade, o conceito de Arte Musical não se tornou pròpriamente conciente a êstes povos. Pode-se afirmar isso porque a música é a única das manifestações artísticas a que não é possível encontrar, entre os primitivos, normalizada por uma técnica pròpriamente dita.

Diferenças
entre os
primitivos
Consciência
e a Antigui-
dade.

Si é certo que êles realizam o som, nem mesmo êste a gente pode afirmar que seja uma organização voluntária dêles. E' antes uma conseqüência dos instrumentos de sôpro e do aparelho vocal. Porém mesmo êsse som raramente é puro. Vive anasalado, vive no falsete, pouco definido em suas entoações incertas e portamentos arrastados. Verifiquei processos assim entre os índios brasílicos, nos fonogramas existentes no Museu Nacional; Roquette Pinto me confirmou pessoalmente a freqüência do som nasal entre os nossos índios; e Roberto Lach generaliza êsses processos aos primitivos em geral. E si é possível em muitas músicas primitivas discernir o que já se pode chamar escala, não só essas escalas chegam às vêzes a variar de documento pra documento, são numerosas e irregularíssimas (que-nem as encontradas entre os índios do extremo-norte brasileiro), como parecem derivar dos instrumentos usados(⁴). Talvez seja mais acertado falar que os povos primitivos constroem instrumentos apenas com o fito de obterem som. Mas nem sempre sons predeterminados ‧(⁵).

**Técnica musical.** Ora as civilizações da Antiguidade já organizam concientemente os sons e os agrupam em escalas de terminadas teòricamente. Possuem o que se pode, em verdade, chamar de Arte Musical: uma criação social, com função estética, dotada de elementos fixos, formas e regras — uma técnica enfim.

**Prática musical.** Parece mesmo que ficaram embebedados com o descobrimento da música... De fato: fizeram esbanjamentos rastacueras de sons, por meio de coros populosos e orquestras provàvelmente bulhentas a que, parece, preocupavam bem pouco as noções de equilíbrio sonoro e combinação de timbres. Os gregos é que vieram substituir essa estética de luxo e brilhação, por um ideal mais interior e despojado de efeitos fáceis.

---

(4) Tambem Hornbostel (584,7) em seus estudos sôbre a música negro-africana, chegou à conclusão de que não se pode falar em escalas a respeito da melodia vocal dos primitivos.

(5) Isto repete-se mesmo nas massas populares dos povos civilizados. Num dos mais curiosos bailados populares do Brasil, os "Cabocolinhos", ainda subsistentes no Nordeste, o instrumento melódico usado é uma gaita. Possuo duas gaitas feitas para executar as músicas dos "Cabocolinhos", do bairro de Cruz-de-Alma, em João Pessoa. Diferem totalmente na entonação. O que quer dizer que a mesma execução, realizada nas duas gaitas, dá mais melodias diferentes! Curt Sachs também observa que o instrumento como objeto de culto (e já vimos que tôda a música dos povos naturais é essencialmente de função mágico-religiosa), exclue tôda e qualquer preocupação estética. Procuram obter som, não exatamente porém o som "estético", o som verdadeiramente musical, porque a música tem de agir, no caso, "não como proporcionadora de gozos artísticos, mas com apêlo às fôrças conservativas, ou banidor das fôrças destrutivas da vida".

Mas a-pesar dos povos antigos terem sistematiza-do a música como arte, ainda não a puderam conce-ber livremente. Entre êles a música viveu normal-mente ligada à palavra e socializada. O homem na Antiguidade é um ser mais pròpriamente coletivo que individual. Tôdas as manifestações dêle são por isso muito mais sociais que individualistas. Intelectua-lizada pela palavra, a música tomava parte direta nas manifestações coletivas do povo. O canto coral teve importância vasta, ao passo que a música instrumental isolada, a bem dizer, não existiu.

Música socializada.

Todos os povos da Antiguidade tiveram os sons organizados em escalas, tiveram formas e fórmulas es-pecìficamente sonoras de realizar música. São mui complicadas e numerosas pra fazerem parte dum com-pêndio geral que-nem êste. A Grécia que, em mú-sica, é a manifestação mais conhecida e provàvelmen-te mais perfeita da Antiguidade, já nos interessa mais, porque influe na música da Civilização Cristã.

Nós não podemos penetrar integralmente na emo-tividade da música helênica porque os processos gre-gos de execução musical se perderam, as obras rema-nescentes são poucos retalhos e a civilização grega foi diferente da nossa. Porém os documentos que restam sôbre a Música entre os gregos, provam que ela teve lá uma construção pelo menos tão perfeita e bem organizada com a estatuária ou a poesia.

Música grega.

Do mesmo modo que as outras civilizações da Antiguidade, os gregos acreditavam que a música era um donativo especial das divindades. As origens da música grega se perdem na superstição. As tradições colocam deuses, semideuses e heróis míticos inven-tando instrumentos e obras musicais.

Superstição.

A todo momento a gente percebe a participação estrangeira da música grega, chegando Estrabão a afir-

Naciona-lismo.

mar que esta deriva inteiramente dos trácios e da Ásia Menor. Porém, desde o princípio se manifestava nos gregos aquela fôrça de racialidade que a qualquer manifestação estranha deformava, desbastava, esclarecia, lhe dando caracteres originais. E assim criaram uma música psicològicamente nacional, regida por uma teoria de realismo possante.

**Teórica.**
**Tetracorde.**

Na base dela estava o Tetracorde que era o mais elementar "sistema", isto é, escala. Tinha quatro sons.

Os sons extremos do tetracorde eram fixos, os internos podiam variar de entoação. Considerando as variações dos intervalos entre os quatro graus distinguiam-se três gêneros: Diatônico, Cromático e Enharmônico. No diatônico não havia alteração nenhuma. Porém si um dos graus centrais estava alterado de metade, ou quarto-de-tom, aparecia no primeiro caso o gênero cromático, no segundo o enharmônico.

**Gêneros.**

TETRACORDE DIATÔNICO:

TETRACORDE CROMÁTICO:

TETRACORDE ENHARMÔNICO:

(O sinal x indica que o Som está elevado de quarto-de-tom).

O tetracorde era um sistema deficiente por demais pra criar música. Por isso desde muito cedo os gregos reuniram dois tetracordes consecutivos, ob-

Notação Quadrada — Página de abertura de um antifonário
beneditino do séc. XIV

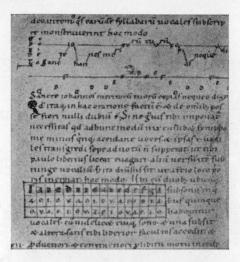

Página do "Micrólogo" de Guido
d'Arezzo, com Exemplos de notação
alfabética e diastemática

Guido d'Arezzo e Teobaldo (iluminura
do séc. XII) — Biblioteca Nacional
de Viena

et ista notes Conformatio ad quinqȝ notulas sol/fa/mi/re/ut/Quis
quis aduertere diligenter voluerit/inueniet ȹ ōis meditatio salubris
tam diumaruȝ ȹ humanaȝ scientiaruȝ reduci potest ad quinqȝ verba,
quoȝ quatuor prima deū respiciunt,scȝ magnificencia/munificecia mi
sericordia/iusticia/Quumtū est hominī speciale videlicȝ miseria Omne
siquo cāticū spūs ꝛ cordis,habet formari scōm alterum quīqȝ ver:
borȝ seu duoȝ seu triū seu ominū simul provictoȝ,Possent sibt omēs
cordis et spiritus affectiones ad nūm deduci quinariū que sunt gaudiū
spes/cōpassio/timor/dolor/applicando singulū verbū lrīs meditacōis
singule,p ordinem hic positum voca sonantis affectōis Demum quīqȝ
vocales ordine natali posite notule sibt mōtāres cū voca lrā sibt accomo
da reā p deplstionē et eleuacōȝ ad instar game natalis sol/fa/mi/re/ut/
Aut ponat ordo nature vocaliū dēptis asonantibȝ ut pȝ in hac figura·

Gaudium      Spes      Cōpassio      Timor      Dolor
dei magnificēcia   munificencia   misericordia   iusticia   nostra miseria

Nolumus aūt ut existimet aliquis gama pnīa musicoȝ oīm canticoȝ
valere pmīo efficaciter ut cāret cor ꝛ spūs p affectū sibt ꝛ effectū nō fu
erit hunc artī de se agīntr facilime supadditus,psertim in musica sensu
ali sibt ꝛ in psalterio ꝛ cythara,sic in choro vocali,sic in cordis ꝛ organa
no Sed nec oportet nec expedit sola pnīu fantasia figurali ūsarȝ obū
cius ȹ ducantur ad intelligencie puritatē fantasmatibȝ vel transcensibȝ
miterim quantū fas extiterit derelicta,nec ideo putanda est pnīa ars in
utilis vel supuacua,vel soliū fantasialis ȹm pus est ȹ animale scōm a.
postolū ꝛ omnis nostra cognicio intellectiua sumit a sensibȝ principiū
que iunatur dū ordinata sibi fantasmata pnītantur,ꝛ sub cōpendio,hoc
vnū fidenter pollicemur,ȹ pnīa ars tamȹ in vtero nature fōmata cui
nulla est lingua barbara vel ignota,practicabilis erit omnibus et per
omnes sine discreione idomatum qui conuerti voluerint ad corȝbi
tamquā in libro scriptum est impressum·ꝛ signatum ꝛ notulati·licet
obumbratum in multis pscriptu ternariū Nam quis negauerit deum

---

O primeiro livro que trouxe notas impressas.
"Collectorium super Magnificat", Esslingen, 1473

Orlando de Lassus — gravura em cobre de René
Boyvin

tendo sistemas já eficientes de oito sons. A tais sistemas chamaram de Modos. Como davam nomes geográficos aos tetracordes, conforme a colocação do semitom diatônico dentre dêles, os Modos ficaram tambem designados geogràficamente, conforme o tetracorde de que derivam. Foram sete os Modos primordiais que os gregos empregaram: o Dórico (Mi a Mi, descendente, sem alteração, contendo 2 Tetracordes Dóricos); o Frígio (Ré a Ré, sem alteração, contendo 2 Tetracordes Frígios); o Lídio (Do a Do, sem alteração, contendo 2 Tetracordes Lídios); o Hipodórico (Lá a Lá, sem alteração); o Hipofrígio (Sol a Sol, sem alteração); o Hipolídio (Fá a Fá, sem alteração); o Mixolídio (Si a Si, sem alteração).

Os três primeiros são os únicos originais. Os três seguintes, caracterizados pelo prefixo "hipo", eram obtidos pelo transporte uma oitava abaixo, do tetracorde mais agudo dos três Modos originais, e redobramento da oitava no grave. O emprêgo do tetracorde sem semitom (Si-la-sol-Fá) dava o Mixolídio que tinha várias explicações teóricas.

A transposição colocava todos os modos dentro da mesma oitava (Fá a Fá) de forma a permitir a entoação dêles por tôdas as espécies de voz humana. Ora, como o âmbito natural da voz humana é Ré a Ré, supõe-se que o Diapasão grego era mais grave tom e meio que o atual.

*Transposição.*

Do exposto podemos verificar várias diferenças importantes entre a música grega e a da gente. Na Grécia as escalas eram consideradas descendentes, ao passo que nós as consideramos ascedentemente. No entanto o senso sonoro dos gregos era igual ao nosso, pois que chamavam de Agudo ao que chamamos de Agudo também. O que podemos imaginar é que o

*Diferenças com a música cristã.*

*Senso dinâmico.*

senso dinâmico dos sistemas era nêles o oposto do nosso. Colocavam o apoio tonal no agudo, ao passo que nós o colocamos no grave. E com efeito quando os Rapsodos cantavam, os sons do acompanhamento instrumental eram dados no agudo, acima da melodia entoada pelo cantor.

**Modo e Tonalidade.** Outra diferença enorme é que nós possuímos Tonalidades e êles Modos. Êstes variam na disposição dos intervalos, ao passo que nas Tonalidades o que varia é a elevação do som, enquanto a disposição intervalar permanece a mesma.

Os Modos são monódicos, as Tonalidades são harmônicas.

**Quarto-de--Tom.** Para enriquecimento da Monodia, os gregos possuíram o quarto-de-tom que foi abandonado muito cedo pela civilização Cristã e a nossa notação corrente nem registra.

**Sistema Teleion.** O Modo que serviu de base às especulações teóricas dos gregos foi o Dórico ou Doristi, considerado nacional por excelência. Pela união de mais dois tetracordes dóricos a êle, um no agudo outro no grave, e repetição no grave da nota mais aguda, obtiveram a série completa dos quinze sons diatônicos da Cítara. A êste Sistema de quinze sons, acrescido dum si bemol central de função modulante, chamaram de Sistema Teleion (Sistema Completo), e consideraram imutável.

**Ethos.** Aos Modos, Gêneros e Ritmos davam poderes morais diferentes. Uns eram virilizadores, outros sensuais, outros enervantes, etc. Chamavam de "Ethos" a êsses caracteres morais da música.

**Harmonia.** Na teoria, os intervalos harmônicos estavam especificados desde Pitágoras (VI séc. a. C.), inventor da Acústica, o qual por intermédio do Monocór-

dio fixou a relação proporcional entre os sons ([6]).
Por meio de divisões proporcionais da corda vibrante,
Pitágoras obteve a série dos Sons Harmônicos. Aos
intervalos de oitava, quinta e quarta justas chamou
de Sinfonias (Consonâncias) e aos outros de Diafo-
nias (Dissonâncias). As Dissonâncias eram interditas no acompanhamento. A bem dizer os gregos ignoraram por com-
pleto o que chamamos de Harmonia, muito embora
numa ou noutra manifestação, tenham possìvelmente
se utilizado de algum Contracanto. Mas desconhece-
ram os Acordes, a concatenação dêles, a Tríade Tonal. E mesmo o som principal dos modos jamais
não exerceu na monodia grega a tirania que a Tônica até faz pouco exerceu na música harmonizada à
européia. Era uma música exclusivamente monódica, a que os instrumentos acompanhantes ajuntavam
periòdicamente sons de sustentação. Mas nessa monodia variavam, satisfatòriamente para os gregos, a
riqueza modal e os gêneros.

Outra coisa que enriquecia extraordinàriamente
a música grega era o ritmo. Como a música não era
uma arte isolada, estava sempre unida à poesia e à
dansa, o compositor grego era ao mesmo tempo cantor, poeta e dansarino. As músicas continham texto
e expressão coreográfica. O que unia as três artes
era o ritmo.

Ritmo.

Pra isso estabeleceram para as três artes uma
só quantidade de tempo, chamada de Tempo-Primeiro
por Aristóxeno (IV séc. a. C.), grande teórico. O

---

(6) A relação proporcional de Oitava era "um para dois"; a
de Quinta era 2-3; a de Quarta, 3-4, etc.. O que significa que enquanto um som determinado dá uma vibração, a sua Oitava dá
duas vibrações; enquanto dá duas vibrações, a sua Quinta dá
três, etc.

Tempo-Primeiro correspondia ao som mais curto da música, à sílaba breve da poesia e ao gesto mais rápido da dansa. O Tempo-Primeiro era insubdivisível, mas tinha um múltiplo que valia o duplo dêle. E por meio da junção dêsses dois valores, construía-se os Pés que tinham de três a seis Tempos-Primeiros, divisíveis em partes iguais ou desiguais, uma (*Arsis*) correspondendo ao pé se erguendo para dansar, outra (*Thesis*) correspondendo ao pé firmando no chão. O que não quer dizer pròpriamente acentuação e não-acentuação, pois, a não ser em marchas, certas dansas, entradas e saídas corais nas tragédias, os gregos não empregaram o Tempo Forte. Chegaram mesmo, no período de apogeu, a eliminar da sua rítmica os acentos.

Prática musical. Os Rapsodos.
Na prática a música foi apreciadíssima e teve uma importância social formidável. De-primeiro valeram especialmente os Rapsodos, cantadores ambulantes que acompanhando-se na lira de quatro cordas, louvavam a memória dos deuses, dos heróis, dos feitos nacionais. Pelo caráter conservador próprio dos rituais religiosos, muito cedo principiaram se fixando certas melodias-tipo, inalteráveis, a que se atribuía influência mágica, moral, ou simplesmente eficiência

Nomos.
ritual. Eram os *Nomoi* (singular: *Nomos*). O Nomos provinha de comunicação divina e só mesmo artista grande é que o podia... receber. Os Nomos eram designados pelo deus que louvavam (Nomos Pítico, dedicado a Apolo; Ditirambo, dedicado a Dionísio); ou pela ocasião social em que eram de preceito (o Pean triunfal, o Treno lutuoso, o Himeneu nupcial).

Instrumentos.
Sempre cantados, os Nomos tinham a participação de instrumentos acompanhantes. Os dois instrumentos principais eram: a Cítara, desenvolvimento da

Lira, tocada com o plectro manejado pela mão direita — dedicada a Apolo e tida como nacional por excelência; o Aulos, instrumento de sôpro, de sonoridade intermediária entre óboe e clarineta, constituindo tôda uma família instrumental — estrangeiro, sensual, e dedicado a Dionísio. Nas Citaródias e Aulódias, o Citarista ou o Auleta acompanhava o cantor. Nas Citarísticas e Auléticas o instrumentista executava solos. Ocasionalmente os gregos empregavam outros instrumentos.

Os poucos documentos musicais que nos ficaram da Grécia estão grafados numa Notação Alfabética que teve lá os nomes de *Krusis*, mais antiga, diatônica e instrumental; *Lexis*, variante da outra, mais rica, e podendo registrar as sutilezas vocais.

Notação.

É costume distinguir pela poesia duas fases na prática musical dos gregos: a Fase Lírica e a Trágica. Domina a manifestação da Fase Lírica o fato de Terpandro (séc. VII a. C.) ter dado a organização definitiva do nomos. Tudo se desenvolve então do nomos. Dêle provêm a lírica solista, o canto coral, o solo instrumental, e posteriormente a tragédia cantada.

Fases musicais.

O Nomos mais fecundo foi o Ditirambo, côro dansado a que Píndaro (séc. V a. C.) deu forma fixa.

Ditirambo.

E como o Ditirambo representava inicialmente passagens da vida de Dionísio, essa representação, de-primeiro apenas um cortejo, foi se desenvolvendo de progresso em progresso até dar na Tragédia. No tempo (sec. V a. C.) de Ésquilo, Eurípides e de Sófocles a tragédia chegou a ser inteiramente cantada, nos teatros públicos, por quatro dias consecutivos, quando chegava a época das Grandes Dionisíacas.

Depois dêsse apogeu lírico e trágico, fixável no período que vai do VI.º ao IV.º século antes de Cristo, a música grega progride sempre e descamba para a virtuosidade, ao mesmo tempo que perde aquela orientação religioso-social que engrandecera e nacionalizara. Um individualismo assu, uma ânsia impaciente de festança. O teatro se abre em qualquer dia. Porém as tragédias já não são mais cantadas não, e as artes se divorciam umas das outras. Aparecem os virtuosos interpretando obra alheia. Os cantores e instrumentistas se preocupam em fazer virtuosidade e chegam a ter templos erguidos em honra dêles. Alexandria, na África, é então, o paradeiro da sabença grega. Atenas morre, escrava de Roma. E com ela os verdadeiros gregos peninsulares.

E Roma, sob o ponto-de-vista musical, não dará nada que interesse históricamente.

CAPÍTULO III

# A MONODIA CRISTÃ

Na Grécie tudo tinha que concorrer harmoniosa-
mente para realizar o Cidadão, cujo conceito é in-
separável do de Estado. Tôdas as especializações
artísticas (o que entendemos agora por músico, ar-
quiteto, poeta, etc.) eram dissolventes do cidadão
ideal e só foram conhecidas na Grécia quando a
nação decaía de si mesma (7).

Quem trouxe para nós a idéia prática do homem-
-só, destruindo as bases em que organizaram-se as
civilizações da Antiguidade européia, foi Jesus. Foi
o Cristianismo que firmou no indivíduo a noção da
culpa em relação ao indivíduo mesmo e substituiu,
por assim dizer, a conciência estatal anterior, por
uma conciência individual nova. Com isso um ideal
novo de civilização ia nascer, provindo não mais da
noção de Sociedade, mas da de Humanidade. Porque só mesmo a mesquinhez do indivíduo traz a
idéia de humanidade...

Individua-
lismo
cristão.

---

(7) Tanto na Grécia como em Roma, a sociedade se fundava
sôbre a concepção da subordinação do indivíduo a ela, do cidadão
ao Estado; a finalidade dominante da conduta era para ela a segurança da república, acima da segurança do indivíduo, diz Frazer.
E Haggerty Krappe: "A religião indo-européia era uma religião
social; a dos semitas é individualista. Um grego clássico se co-
briria apenas do ridículo se imaginasse apelar para o grande Zeus
na intenção de obter dêle um benefício pessoal. Os deuses dos
gregos só existem para servir a comunidade e o Estado".

Os homens antigos tiveram noção nítida e agente de socialização, mas possuíram idéias imperfeitas, vagas e diletantes sôbre o que seja humanização e liberdade humana.

Início da fase melódica.

Ora o Ritmo é socializador. Com as suas dinamogenias muito fortes êle coletiviza fàcilmente os seres. A melodia, fisiològicamente falando menos ativa, deixa espaço maior pra que se desenvolvam com independência os afetos individuais do ser. Por isso, à fase rítmica da Antiguidade, levada ao apogeu pela perfeição incomparável da Rítmica grega, vai suceder a fase melódica, isto é: à preponderância do ritmo que a gente observa na música antiga, sucede a preponderância mais sutil e condescendente da melodia.

Concepção expressiva da música.

Ainda há outra constatação a fazer: Devido a esta preponderância de melodia sôbre o ritmo, a música se sutiliza e vai deixar gradativamente de ser sensação para se tornar sentimental. De associativa que fôra de-primeiro, vira divagativa.

Já vimos que era importante o *Ethos* atribuído aos ritmos, aos gêneros e modos na Grécia. Tal música em tal ritmo, tal modo e tal gênero era nobilitadora. Tal outra sensualizava. Tal envelhecia e tal fortificava os moços. Tal era religiosa e tal não, etc. Os gregos compreendiam as obras musicais associando a elas as idéias morais que atribuíam às formas, sistemas e ritmos. Agora tudo isso vai sendo gradativamente desprezado e concientemente ignorado. Ninguém mais não compreenderá uma obra, lhe associando idéias morais preestabelecidas, porém divagará individualisticamente, deixando-se levar pelas liberdades sentimentais do eu. A música se torna objeto de divagações e mais tarde de explicações mais ou menos líricas, até que o psicologismo do séc. XIX a compreenderá como "arte de expressar os sentimentos por meio de sons".

Foi essa a modificação fundamental que o Cristianismo trouxe para a música. Otto Keller observa que enquanto os povos antigos conceberam o Som como elemento sensitivo, o Cristianismo o empregou como elemento pelo qual a alma comovida se expressa em belas formas sonoras. H. Frère diz que o Cantochão representa o desenvolvimento da melodia artística. Peter Wagner não vê na evolução histórica da música nada de comparável ao Gregoriano como melodia.

Desde início o canto foi introduzido no culto cristão, como elemento útil de purificação e elevação. Os chefes da Igreja primitiva o recomendaram e o empregaram. Como não era possível inventar de pronto uma teoria e prática musicais novas, os cristãos foram buscar os cânticos (aliás já contaminados pela música grega) do culto hebraico, a que o Cristianismo viera apenas definitivar. Transplantaram pois êsses cantos para o culto novo, simplificando-os, tirando instrumentos acompanhantes, repudiando o cromatismo "sensual", evitando o mais possível a recordação das práticas gregas. Com isso a música adquirira um conceito exclusivamente vocal e monódico.

De-primeiro os fiéis cantavam em uníssono coral as melodias litúrgicas. Mas a falta de preparação técnica do povo, prejudicava muito a exatidão cerimonial, e já no séc. II as Constituïções Apostólicas determinavam que um solista entoasse os salmos, deixando aos fiéis apenas algumas respostas fáceis. Isso deu origem a processos diversos de cantar a melodia cultural. Havia o Solo Salmódico, sem participação

*Primeiros cantos.*

*Processos de cantar.*

coral, a não ser nas Doxologias e nas exclamações
finais (Amen, Aleluia); o Canto Responsorial, em
que solo e côro se sucediam; o Canto Antifônico,
em que dois coros se alternavam. Por outro lado,
o aparecimento de cantores profissionais provocou
o desenvolvimento artístico das melodias, que se
enriqueceram de Melismas. Si muitos cantos per-
manecem silábicos, isto é, correspondendo a cada
som da melodia uma sílaba do texto, se desenvolvem
muito os cantos melismáticos em que a uma sílaba
do texto correspondem vários sons, em vocalização
ornamental.

**Formas.** Aos Salmos tradicionais tirados da Bíblia, logo
se ajuntaram Hinos e Cânticos, às vezes metrifica-
dos e estróficos já inventados pelos próprios músicos
cristãos.

**Centros de liturgia** Ao mesmo tempo, o reconhecimento público do
Cristianismo pelo imperador Constantino (313) e o
predomínio da religião nova, permitiram que a música do culto progredisse com intensidade. Foram
aparecendo logo vários centros musicais importantes no oriente europeu (Bizâncio) e Ásia (Síria,
Antioquia) na península itálica (Milão com Santo
Ambrósio, séc. IV), na França (Poitiers com Santo
Hilário, séc. IV) e na Espanha (Sevilha com Santo Isidoro, séc. VII). Resultou disso a formação
de liturgias musicais distintas: o Canto Ambro-
siano, de Milão; o Canto Galicano, em França; e
o Estilo Mosárabe, na Espanha.

Os centros de influência geral mais permanente
foram Bizâncio e Roma.

**Bizâncio.** Bizâncio fêz conservar muitas palavras gregas
na liturgia latina; propagou no ocidente o canto
antifônico de Antioquia; generalizou o emprêgo de

cantores especializados; e determinou a expansão
do Órgão. Quem inventou êste instrumento, dizem, foi o egípcio Ctesíbio (séc. III ou II a. C.)
espécie de Édison da Antiguidade, inventor de muitas coisas. O Órgão ideado por êle era hidráulico.
Embora nas suas partes essenciais permaneça o mesmo até agora, faz muito já que o órgão se tornou
exclusivamente pneumático. De-primeiro foi empregado no cerimonial civil. Parece que a Igreja
Católica só o oficializou no séc. IX.

Roma lembra principalmente Gregório Magno **Roma.**
(Papa de 590 a 604). Fundando a *Schola Cantorum*, verdadeira profecia dos conservatórios, e man-
dando escrever o Antifonário em que se grafaram as
Antífonas e Responsos do Ofício anual, São Gregório
deu à música românica uma organização tão convin-
cente que se generalizou pela Cristandade e fixou a
melodia católica. Esta recebeu por isso o nome de
Gregoriano. Mais tarde foi também chamada de
Cantochão, *(Cantus Planus)* por causa dos sons serem sempre iguais como duração e como intensidade.
E ainda porque servia de base nas polifonias.

Na teoria musical do Cristianismo é que a lição **Teoria.**
grega se intrometeu, produzindo inicialmente mais
confusão que benefício. O próprio teórico ilustre
Boécio (séc. V...) ([8]) viveu obcecado pela teórica
e terminologia gregas. Houve um divórcio penoso
entre teoria e prática musicais, até que a lucidez
de Guido D'Arezzo abriu caminho para a norma-
lização de tudo.

---

(8) A reticência antes ou depois da indicação de data determina que o indivíduo ou o fato datado vêm do último quarto do
século anterior se a reticencia está anteposta ao número, ou que
continua pelo primeiro quarto do século seguinte se a reticência é
posposta.

O Cristianismo empregou Modos que foram
chamados Tons da Igreja. O inglês Alcuíno
(séc. VII...) foi o primeiro a teorizar sôbre êles
com clareza. Os Tons da Igreja eram oito: quatro
principais, ou Autênticos (Ré a Ré, Mi a Mi, Fá
a Fá, Sol a Sol) e quatro, relativos dos Autênticos,
os Plagais (Lá a Lá, Si a Si, Do a Do, Ré a Ré).
Eram numerados aos pares de derivador e deri-
vado: Protus (primeiro), Autêntico (Ré a Ré) e
Protus Plagal (Lá a Lá); Déuterus (segundo), Tri-
tus (terceiro) e Tétrardus (quarto).

Tem duas diferenças vastas entre os Modos
Gregos e os Tons de Igreja. Êstes já são conside-
rados ascendentemente e, pois, a tônica se apresenta
como um repouso no grave. Talvez isso se tenha
dado porque a predominância da melodia sôbre o
ritmo, levou os cristãos a observar com psicologia
mais hábil o dinamismo dos sistemas...

Outra diferença é que, além da tônica, outro
grau principia dominando no Tom: quinto ou sexto
grau nos Autênticos e terceiro ou quarto nos Plagais. É o som de sustentação (chamado Tenor)
sôbre o qual se entoa a maior parte das sílabas do
texto. E' o embrião do conceito harmônico-tonal,
pois o som Tenor funciona que-nem a Dominante,
da Harmonia.

Quanto ao Ritmo, parece que os estudos da
escola beneditina de Solesmes (séc. XIX) é que
deram às escurezas dos tratadistas cristãos uma solução mais exata. O Gregoriano se utiliza dum
ritmo declamatório, fundado em acentos de intenção intelectual ou expressiva. Identificável, pois,
ao movimento das frases faladas. Cada membro
de frase se isola por uma pausa curta, chamada

Distinção. Nas Distinções a frase musical conclue
com um som mais longo, valendo o duplo dos da
frase, que são todos iguais. A pausa pequena das
Distinções acentua o sentido intelectual do texto e
permite respirar.

A melodia gregoriana é essencialmente monódica e de conceito modal. Tôda *harmonização* é
pois uma superfetação nela. Mas parece que mesmo
no período áureo (séc. VI a séc. VII) usaram ajuntar ao canto uma segunda parte. Prática também
provinda de Bizâncio provàvelmente, pois lá desde
o séc. IV se empregava o Ison, processo em que
uma voz sustentava um som modal (Tônica, Tenor)
enquanto outra voz entoava a melodia. Com o
desenvolvimento das escolas de canto coral, surgiu,
já com valor histórico, o costume duma das duas
vozes do côro entoar um contracanto *(Vox Orga-
nalis)* de quintas ou quartas paralelas, no agudo
da melodia tradicional *(Vox Principalis*, ou ainda,
Tenor). A isso chamavam de Organizar, ou cantar um Órgano. Prática possìvelmente muito antiga, o Órgano só vem nomeado por Scotus Erígena
e descrito por Hucbald (sécs. IX e X).

Não seria o Órgano uma conformação erudita
de prática popular anterior? Da Escandinávia, por
intermédio da Inglaterra, viera um jeito de cantar a
duas e três vozes, tão tradicionalizado lá que tôda
a gente cantava intuïtivamente nêle. Disso parece
falar Giraldus Cambrensis. Os bardos celtas anda-
ram por todo o continente europeu desde o séc. IV.
De-certo êle propagaram por tôda a parte êsses
processos de cantar: o Gimel a duas vozes, e o seu
desenvolvimento a três vozes, o Falsobordão, des-
critos no fim do séc. XIV por Chilston, Power e

Conceito
monódico
e a
Harmonia.

Órgano.

Falso
bordão.

Guilherme Monachus. Êsses processos populares, que acabaram se introduzindo na música erudita da Idade Média, consistiam em ajuntar à melodia dada, tirada do gregoriano, séries de têrças e sextas paralelas. Ora êstes intervalos eram proïbidos porque, devido aos preconceitos pitagóricos, só a oitava, a quinta e a quarta eram consonâncias. O órgano parece ser uma transposição erudita pra quartas ou quintas, das velhas têrças e sextas nórdicas.

Crítica
dêsses
processos.
Carece notar que tanto o órgano como o falso-bordão não alteram o conceito monódico do gregoriano. O paralelismo absoluto das duas ou três vozes, formava melodias distintas, passíveis de se-rem cantadas simultâneamente com a melodia tenor porque mantinham com ela relações eurrítmicas de similitude intervalar, melódica e rítmica. Mas não harmônica. Harmonia é concatenação de acordes. Ora numa sucessão de oitavas (Antifonia), de quar-tas ou de quintas (órgano), de têrças e sextas (falso-bordão) cada fusão é considerada em si e nunca em relação às precedentes e subseqüentes. A fusão dos sons, os Intervalos Harmônicos enfim, já estão pra-ticados nisso. Não, porém, a Harmonia. E parece mesmo que naqueles tempos nem essa fusão de sons êles percebiam bem, embora, em teoria, falassem na consonância dos sons simultâneos. Porque dessa fusão resultava diretamente o conceito do Acorde e tal conceito aparecerá verdadeiramente só muito depois. O que parece é que os cristãos viam nessas simultaneidades vocais uma só melodia que se acom-panhava com produtos de si mesma, que-nem uma mãe se acompanha de seus filhos. Tanto assim que logo êstes... filhos espigaram e se tornaram inde-pendentes da melodia máter. Do conceito do acorde

resultava a Harmonia. Do conceito de melodias apa-
rentadas mas independentes, resultava a Polifonia
que é a combinação de várias melodias simultâneas.
E com efeito foi a Polifonia que se desenvolveu
primeiro.

Si, pois, às vezes os cristãos dos primeiros dez
séculos empregaram séries de sons simultâneos, as
peças gregorianas continuavam essencialmente mo-
nódicas. O uníssono coral representa a realidade
exata do Cantochão.

Cultiva até o séc. XIII, desde o séc. IX que
o Gregoriano vai perdendo a pureza originária e
se enriquece de preciosismos na escola franco-alemã.
Por todo o ocidente europeu havia então mosteiros
e cidades que se distinguiam pelo cultivo apurado
da música litúrgica. Metz e a abadia de São Galo
foram mais importantes. Especialmente São Galo
donde se propagam na Europa, no séc. VIII, duas
formas novas: os Tropos e as Seqüências ou Prosas.
Os Tropos, trazidos de Bizâncio, consistiam em encher com frases inventadas para isso as vocalizações
sôbre vogais do texto tradicional. Essas interpo-
lações deram origem a cantos independentes, as
Seqüências.

É também em Gregoriano que aparecem as primeiras manifestações artísticas de música dramática
no Cristianismo. Certas partes dialogadas do Evan-
gelho, lidas nas cermônias do culto, foram litùrgica-
mente distribuídas entre solistas e agrupamentos corais. Talvez bem antes do séc. XII, era de praxe
três diáconos cantarem a Paixão em Gregoriano;
um fazendo de Cristo, outro de narrador, outro se
incumbindo das respostas do povo e dos apóstolos.
Não custou muito que passassem a representar total-

*Paixões e
Mistérios.*

*Melodramas
sacros.*

*Tropos e
Seqüências.*

mente isso, dentro do próprio templo. Nasceram assim as diversas manifestações do melodrama litúrgico: as Paixões e os Mistérios ou Milagres que florescerão até o séc. XV.

**Farsas.**   A intenção de atrair mais o povo pra essas representações, levou a uma série de licenças, dansas, orquestrinhas rudimentares, substituïção do latim pelos dialetos, substituïção do Gregoriano pela música popular, ridicularização do diabo e dos maus, e conseqüente predominância do elemento cômico. Surgiram então as Farsas, muito profanizadas, já então vivendo fora do tempo, cantadas não por diáconos mais, porém, por membros de Confrarias especialistas, verdadeiros esboços das Companhias Líricas atuais.

**Notações.**   Foram várias as Notações com que os cristãos escreveram o Cantochão. Empregaram a notação Alfabética se servindo das sete primeiras letras do alfabeto latino pra designar o heptacórdio (A para o Lá, B para o Si, etc.). A notação Neumática teve também muito uso e empregava sinais ideográficos originados dos acentos agudo e grave. Os Neumas variavam muito de aspecto e mesmo de valor designativo. As figuras neumáticas podiam designar um, dois e até mais sons no caso dos agrupamentos melismáticos. Nem foram pròpriamente uma notação pois não indicavam sequer a altura exata do som. Eram mais uma ajuda-memória que permitia ao cantor reconhecer uma melodia já aprendida anteriormente.

Por causa dessa insuficiência, os teóricos dos sécs. X e XI procuraram inventar processos novos de grafar os sons. O flamengo Hucbald inventou um processo que talvez tenha sido a fonte inspi-

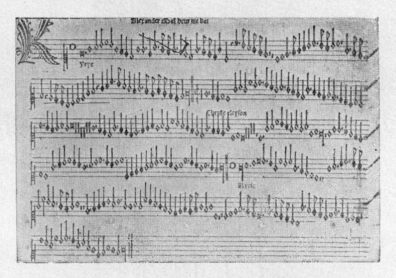

Otaviano dei Petrucci — Primeiros ensaios de impressão musical
— Parte de soprano de uma missa de Agricola

Túmulo de Francisco Landino, o Cego
— Florença

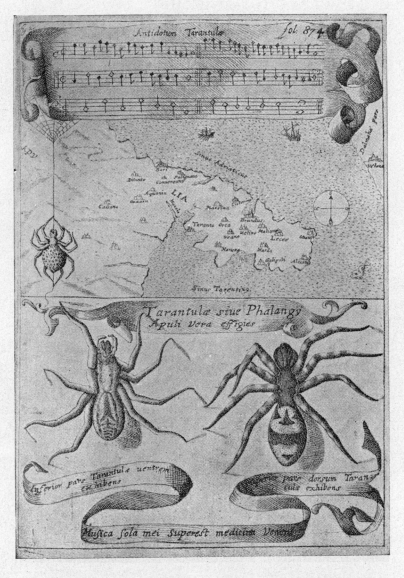

**Terapêutica Musical** — Antídoto musical usado nas mordidas da tarântula — Origens da tarantela napolitana — Roma, 1641

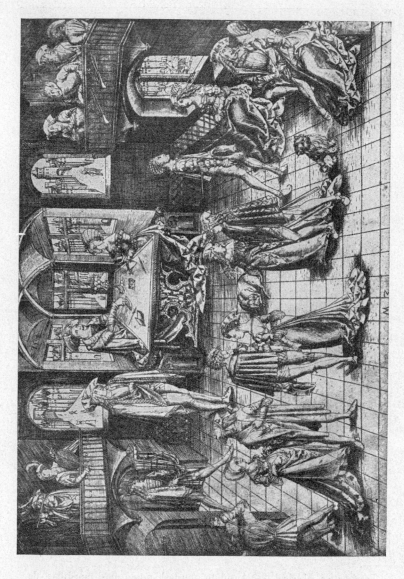

O Baile de Sociedade — Baile no castelo de Munique, nos fins do séc. XV — gravura M. Z.

radora da Notação Diastemática, a qual por meio de linhas horizontais indica os intervalos.

Mas é com Guido d'Arezzo (séc. XI), sistematizador genial e realista, que a notação adquire uma clareza já satisfatória. Se é que Guido tenha sido apenas um sistematizador dos processos do tempo, e não inventor de muitos dêles... Guido já emprega uma pauta de quatro linhas, desenvolvidas da linha única usada nos manuscritos dos séculos anteriores. A primeira e terceira linhas da pauta trazem respectivamente no início as letras F (Fá) e C (Do) indicando o som que será grafado nelas. Essas letras foram a origem das claves de Fá e Do. O G (Sol), como clave, aparece no séc. XII e se vulgariza no seguinte. As notas escritas nessa pauta eram os Neumas já evoluídos e no séc. XII fixados nas chamadas Notação Romana, ou Notação Quadrada (por causa da forma quadrada dos sinais), e na Notação Coral Alemã ou Cravo de Ferradura (por causa dos sinais se parecerem com a forma dos pregos usados nas ferraduras).

*Guido d'Arezzo.*

*Pauta.*

*Claves.*

Guido d'Arezzo foi ainda o inventor inconciente dos nomes atuais dos sons, por ter se utilizado na Solmização dos seus hexacordes (com que substituíra os tetracordes, na explicação dos sistemas), das sílabas Ut Re Mi Fá Sol La, tiradas da abertura de cada hemistíquio do Hino a São João Batista:

*Solmização.*

> *Ut* queant laxis    *Resonare* fibris
> *Mira* gestorum    *Famuli* tuorum
> *Solve* polluti    *Labii* reatum
> Sancte Joannes

Guido d'Arezzo não pretendera denominar sons fixos. Foi só mais tarde que a predominância da

# 44 MÁRIO DE ANDRADE

escala natural (Do Maior) nas cogitações teóricas,
fixou as sílabas da Solmização atual. A sílaba Ut
ainda em uso na França, foi chamada Do por J. Batista Doni (séc. XVII), informa Fétis sem citar do-
cumentação. A sílaba Si, também de origem incerta,
se propagou na segunda metade do séc. XVIII.

Crítica do
Gregoriano.

O Gregoriano representa musicalmente a essência ideal e mais íntima da religião católica e foi a
criação mais sublime que ela deu em música. É
dogmático por ser ao mesmo tempo monódico e coral. É humilde e anônimo por excelência. Se pode
mesmo falar que o gregoriano não é sinão uma melodia só, e que quem conhece uma peça de cantochão
conhece tôdas as outras. Se contenta de pequenos
motivos melódicos cujas combinações apenas variam
a apresentação duma entidade inalterável.

Além de anônimo, se tornou tão pobre que não
é convite ao prazer estético. Não chama a atenção.
Si é certo que a gente escuta com prazer a Salve
Regina, por exemplo; quem escuta uma Missa gregoriana com ouvidos simplesmente artísticos, se enfa-
ra e se distrai. É que o gregoriano não foi feito para
a gente escutar; mas para a gente se *deixar escutar*.
Êle provoca insensìvelmente o estado de religiosidade.

Dentro já da crítica estética apresenta um valor curioso e extraordinário. Não usando combinação de subdivisões rítmicas de tempo, empregando
o movimento natural de palavra falada, resolveu
ainda na manhã da música européia um dos problemas mais difíceis e debatidos dela: a união da
palavra e do som. Sob êsse ponto-de-vista o gregoriano é mesmo a única solução deveras realística
que a história da música apresenta. O gregoriano
não se preocupa com a expressão psicológica. Só

numa ordem de idéias muito vaga e geral, a gente constatará que tal antífona é mais tristonha e tal hino mais solene. O gregoriano se contentou com o valor essencialmente dinâmico do som, deixando *os sentimentos se exprimirem pelo sentido das palavras.* E deixando assim que as palavras falassem, pôde deixar também que os sons valessem por si e realizou uma solução de Arte Pura, de Arte no sentido mais estético, mais desinteressado e mais edonístico do têrmo. E por isso quando mais tarde a música artística quiser se desenvolver no sentido da expresão psicológica, é nos cantos populares que irá buscar elementos e exemplo. O cantochão não poderá lhe servir de fonte.

# Capítulo IV

# POLIFONIA CATÓLICA

Já vimos que o falsobordão era uma forma de origem popular que conseguiu se implantar na música erudita. Desde o séc. XI pelo menos a música popular principiou influindo de muitas maneiras nas pesquisas dos artistas. Os ritmos batidos das marchas, dos cantos de trabalho, dansas, etc. foram muito provàvelmente a causa principal que levou compositores e teóricos a imaginar na possibilidade de criarem obras eruditas dotadas de combinações de valores de tempo diferentes e no jeito com que se poderia grafar isso.

Apareceram então as primeiras manifestações de Polifonia pròpriamente dita, e, concomitante-mente, o Mensuralismo, isto é, uma orientação que media o tempo sonoro e praticava a Música Medida ou Música Proporcional.

A fusão dos intervalos empregados pela Anti-fonia, pelo Órgano e pelo Falsobordão, se fêz ne-cessária desde que os músicos influenciados por essas práticas corais, viram que era possível ajuntar várias melodias independentes. E como esta in-dependência implicava também independência das linhas melódicas, surgiu a idéia de ajuntar melodias em movimento contrário, acabando com o parale-lismo das práticas existentes.

Primeiros
processos
de compor.

Carece notar que tanto a Antifonia oitavada como o Órgano e o Falsobordão não eram processos de compor. Eram apenas maneiras de cantar, que o corista improvisava tendo sob os olhos o cantochão que servia de melodia Tenor. Com o emprêgo do movimento contrário já a liberdade da segunda voz era maior e mais difícil de improvisar. Surgiu pois o primeiro processo de compor a várias vozes: o Discante, cuja primeira teorização conhecida é francesa e do séc. XI. Êsse Discante primitivo já empregava sistemàticamente o movimento contrário, porém as vozes inda continuavam rìtmicamente iguais. Som contra Som *("Punctus contra punctum"*, donde se origina no séc. XIII a palavra contraponto). Como era relativamente fácil, ainda podia ser improvisado, o cantor deduzindo a segunda voz (também chamada Discante) da leitura da melodia gregoriana (Melodia Tenor [9]), também chamada Canto-firme).

O Discante.

Já no fim do séc. XII êsse Discante som contra som evolue para manifestações mais complicadas e que exigiam a participação dum compositor para que não se desse barafunda e cacofonia. É o Discante Florido, já manifestação mensuralista, correntemente a três vozes, e em que a cada som do Canto-firme correspondiam sons de valor temporal diferente nas outras vozes.

---

(9) Com isto se começou a nomear os principais registros de vozes humanas. Quanto às vozes Tenor e Discante se ajuntou mais uma terceira, esta se chamou *Contratenor*. Mas como era entoada ora acima, ora abaixo do Tenor, o Contratenor, se dividiu em duas vozes distintas: o *Contratenor Bassus* (Baixo) e o *Contratenor Altus* (*alta Vox* e *Alto*). O *Altus* também se chamou, no seu timbre mais grave de *Alto Contra* (*Haute contre* em francês; *Contr'alto* em italiano). E então à voz mais aguda (Discante) se deu também o nome de *Superius* (ou *Supremus*: *Soprano*, em italiano). Barítono (*Barytonus*) é também palavra muito antiga, significando canto grave.

O Mensuralismo foi a escola que veio propagar a medição do tempo sonoro. Influenciado pelos trovadores cortesãos em que o ritmo ternário dominava, também a fórmula rítmica dominante entre os mensuralistas foi o Ternário, a que davam justificações e explicações abstrusas, invocando a perfeição da Santíssima Trindade e coisas assim.

O Mensuralismo implicava imediatamente a criação duma notação nova em que as notas determinassem o valor de tempo. Os neumas *Virga* e *Punctus*, na sua forma quadrada latina, foram o ponto de partida dessa Notação Proporcional. Foram chamados a Virga: ◼️ de Longa, o Punctus ◼️ de Breve. A Breve transformada em losango ◆ deu origem à Semibreve. A relação proporcional teórica entre êsses valores era ternária. A Breve era a unidade de tempo, continha três semibreves e valia a têrça parte da Longa.

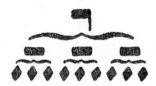

Esta clareza é mais aparente que real pois o valor de tempo dêsses sinais variava ou na peça tôda ou pela relação das notas vizinhas na escrita. Chamavam à ternaridade de Proporção Perfeita e à binaridade de Proporção Imperfeita: Perfeição e Imperfeição. Outra nota existente desde início era a Dupla-Longa ou Máxima ◼️ em que a binaridade se manifestava, pois valia teòricamente duas Longas. As pausas iam aparecendo simultâneamente com as notas. A Mínima ⸒ aparece no séc. XIV; e no séc. XV, quando os movimentos foram se tornado mais rápidos, a precisão de indicar isso foi criando os sinais consecutivos de Semi-mínima, Fusa e Semifusa.

Talvez tenha sido no fim do séc. XIII que apareceram as Prolações que determinavam o ritmo, e cuja indicação por meio dum sinal colocado no início da pauta, deu origem aos sinais de Compasso. A Perfeição era indicada mais correntemente pelo sinal ; a Imperfeição era indicada mais correntemente pelo semicírculo . Esta é a origem do sinal que indica até agora o compasso quaternário simples. No séc. XV, a precisão de representar andamentos mais rápidos, fêz usarem as figuras de Prolação diminuindo as notas de metade do valor real delas. Apareceu então o sinal usado até hoje. Quanto à barra-de-divisão de compasso foi empregada irregularmente durante o séc. XVI e só se fixou no seguinte.

Outras práticas que influíram na forma da notação atual foram o ponto-de-aumento que tornava perfeita (ternária) uma figura imperfeita; e o *Color* que consistiu em escrever de-primeiro com tinta vermelha, em seguida apenas com o perfil da nota , os valores ocasionalmente binários surgindo num movimento ternário e vice-versa. Estas notas brancas se generalizam com facilidade, e do segundo quarto do séc. XV em diante, as notas pretas só indicam valores menores.

Quanto à pauta, já no séc. XV a música vocal usou as cinco linhas de agora. Mas a música instrumental era notada em pautas complicadas que

chegaram a quinze linhas. As Tavolaturas de órgão e alaúde (séc. XV a séc. XVIII) geralmente
empregavam seis linhas. Só no séc. XVIII é que
o Pentagrama se generalizou.

O que sabemos prova que tomaram parte importante na polifonia mensuralista dois teóricos chamados Franco, um de París e outro de Colonia,
ambos do fim do séc. XII e talvez mesmo origina-
dores duma verdadeira escola de teoria musical.
Importa ainda lembrar Perotino (séc. XII), Walter
Oddington, João de Garlândia, Petrus de Cruce (os
três do séc. XII) e Marchetto de Pádua (... século XIV).

Com a variedade rítmica do mensuralismo, com
a fusão dos processos de cantar paralelísticos e em
movimento contrário, com a elevação do número
das vozes da polifonia, criando o Quarteto coral;
a polifonia católica fixa os princípios estéticos mais
importantes da simultaneidade melódica durante os
séculos XIII com a escola de París, e XIV com a
Ars Nova e início da escola franco-flamenga.

Escola de
Paris.
Motete.
Conducto.
Rondó.

A escola de París já sistematiza as primeiras
formas de composição polifônica. Entre estas importaram tècnicamente muito o Motete, o Conducto
e o Rondó. O Motete era a três vozes, cada uma
com ritmo e texto diferentes. No Conducto o canto-firme não era mais tirado do gregoriano, e sim
um canto popular ou de invenção do compositor.
No Rondó a mesma melodia é repetida por tôdas
as vozes, cada voz atacando a melodia por sua vez.
Muito breve êste último processo de compor foi
chamado de Cânone, e se tornou a norma principal
da composição polifônica. Existe um documento
de valor histórico enorme: o rondó inglês "Summer

is icumen in" ("O verão chegou", primeira metade
do séc. XIII) que é o mais antigo exemplar de
composição de Cânone e de música descritiva do
Cristianismo. Essas três formas apresentam a base
técnico-estética da Polifonia: o princípio de imitação das vozes (Rondó ❯ Cânone ❯ Fuga); a
liberdade de movimento, de ritmo e de texto (Motete); a invenção livre (Conducto).

No séc. XIV a música ainda secarrona e fra-
desca dos parisienses, sente a brisa da Renascença.
A polifonia se desenvolve então por influência popular, pelas audácias do trovador Adão de la Halle
(séc. XIII) e pela lição de suavidade musical dos
ingleses. Teóricos como João de Muris, compositores como Filipe de Vitry e Francisco Landino,
estão preocupados com a lógica harmônica das con-
catenações sonoras. Já percebem e estabelecem que
as séries de oitavas, uníssonos, quintas, são de fraco
valor estético e é preciso evitá-las. As têrças e
sextas podem dar séries de quatro sons. As dissonâncias se sistematizam como notas de passagens.
Já se tornou conciente o valor dinâmico delas e o
efeito agradável da sua resolução numa consonância.
É já bem o conceito de polifonia harmônica, de
Polifonia pròpriamente dita, embora as obras de
então nos pareçam muitas vezes cambaias e duras.
Para êles não eram não... O que importa històricamente notar é que dantes, com o órgano, o
falsobordão e o discante, a polifonia perseverara
rija, vazia, antiharmônica mesma, pois que não
havia conciência do dinamismo movimentador das
consonâncias e dissonâncias. Concebia-se apenas os
efeitos absolutos e insulados de agradável e desagradável dos intervalos e acordes. Coisa muito relativa

Polifonia
harmônica.

pois que a música é um movimento e, dentro dêste, muitas vezes uma dissonância pode ser agradabilís- sima e uma consonância desagradável e bôba, tudo dependendo da lógica da concatenação do movi- mento sonoro. É realmente do finzinho do sécu- lo XIII para o século seguinte que "a noção do sentido e coerência das relações harmônicas" se fixa definitivamente.

**Ars Nova.**

O séc. XIV representa na música a primeira fusão da polifonia erudita com a música profana. É o período da Ars Nova. Enquanto esta vai pas- sando, criada por compositores mais ìntimamente profanos que religiosos, profundamente influencia- dos pelo trovadorismo e pela arte popular, a poli- fonia católica sofre um período de obscuridade (mais pròpriamente de incubação, que de obscuridade...) para florescer e atingir a elevação suprema nos dois séculos seguintes. É nesse período de incu- bação que surge a forma mais completa da polifonia

**Missa.**

católica: a Missa. Dantes costumavam no geral mu- sicar partes destacadas da missa. Agora ela prin- cipia sendo sistemàticamente considerada como um todo musical indissolúvel; e as partes da obra se concatenam e adquirem lógica musical, principal- mente por meio da unidade temática. Um dos primeiros documentos dessa forma nova é a Missa de Tournay do meio do séc. XIV.

**Capelas.**

Também a exemplo da Capela papal, conse- quência da Schola Cantorum de Gregório Magno, principiam aparecendo as Capelas corais. No século XV elas se multiplicam extraordinariamente. Não tem cidade, não tem rei nem nobre nem igreja rica que não se preocupe de manter uma Capela bem adestrada. A maioria dos grandes compositores, daí

até os fins do séc. XVIII, serão Mestres de Capela,
organistas ou mesmo simples cantores dêsses agrupamentos religioso-musicais. O teórico flamengo
João Tinctoris, no fim do séc. XV, atribuïrá às
Capelas o progresso extraordinário que a música
fazia então. Algumas foram de-fato especialmente
úteis na evolução histórica da arte musical: a de
Windsor; a de Cambrai, nas Flandres; a dos duques
de Borgonha; e, já no séc. XVI, a papal e a de
São Marcos.

A de Windsor se elevou a protótipo da polifo-    Os ingleses.
nia inglesa, que havia de ser o ponto de partida da
escola franco-flamenga. Nenhuma diferença técnica
fundamental separa os polifonistas ingleses do início do séc. XV, da Ars Nova anterior. O que os
caracteriza é apenas o emprêgo freqüente de têrças
e sextas, regando os ouvidos com "uma torrente contínua de sons suaves". Além disso os ingleses é
que sistematizam o emprêgo dinâmico da dissonância, com a preparação e resolução dela por meio
de consonâncias. Isso era um progresso formidável.
Salienta-se João Dunstable († 1453) já utilizando
incipientemente o processo da Variação. Artista
bem hábil, êle brinca inventando dificuldades técnicas. Na obra dêle são copiosos os problemas e
enigmas musicais, que os flamengos elevarão ao
cúmulo da virtuosidade e da extravagância.

O fenômeno talvez mais surpreendente da his-    Os franco-
tória musical é o surto franco-flamengo do séc. XV.    -flamengos.
Durante século e meio a região pequena das Flan-
dres e do nordeste da França acampara a criação
musical européia e manda seus músicos para tôdas
as partes. Influe em tudo, domina tudo, não tem
cidadinha que não se orgulhe de possuir um mestre de capela flamengo.

Guilherme Dufay é quem dá para a escola a sua fisionomia típica, fundindo a lição de Dunstable com os vários processos do cânome ([10]) que os ingleses, prováveis sistematizadores dêle, tinham desleixado e se hospedara entre itálicos e franceses. Os princípios técnicos de Dufay, desenvolvida por Ockeghem; a expressividade dêle, desenvolvida por Obrecht: se encontram elevados em Josquin des Prés à concepção mais elevada da escola. Josquin des Prés, "luz da arte flamenga" como lhe chamavam os contemporâneos, representa por assim dizer a cristalização dos ideais polifônicos flamengos. Desbasta dos excessos as complicações técnicas dos antecessores; movimenta com mais flexibilidade natural as vozes; esboça o repouso da Cadência de sétima dominante; inventa temas com manifesta intenção expressiva e eleva a expressividade musical a uma eficiência que já pode ser mais sentida por nós. E' dum equilíbrio perfeito de forma e fundo. Representa o aspecto clássico dos franco-flamengos. As gerações seguintes manterão por quase todo o séc. XVI o prestígio da escola, fecundando por tôda a Europa orientações regionais novas. E' o tempo de Arcadelt em Roma, Willaert em Veneza, Sweelinck na Alemanha, Gombert na Espanha, outros em Portugal, na Polonia. Tempo de Jannequim dando aos processos da escola, em França, uma finalidade descritiva e procurando realizar por meio da música a bulha dos mercados, passarinhos e batalhas. A

**Josquin des Prés.**

---

(10) Entre os processos do cânone (cânones repetindo o tema em unissono, oitava e outros intervalos, cânones por aumentação ou por diminuïção dos valores de tempo) estão o Cânone de Caranguejo em que o tema é repetido de trás pra diante, e o Cânone de Espelho em que os intervalos da resposta são invertidos. O princípio de imitação temática chega já a antecipar por vezes os Estretos da futura Fuga.

escola relumeia de virtuosidade, se esperdiça em
complicações técnicas novas, é arrombada nos seus
limites pela personalidade romântica violenta internacional dolorida individualista de Orlando de Lassus... E decai desaparecendo totalmente no século XVII. De longe em longe inda nascerão na Bél-
gica, músicos de vária importância, que nem Gossec
e Grétry no séc. XVIII, e bem perto de nós, César
Franck, um gênio. Porém nunca outra escola característica e própria, os flamengos não deram mais.

Um progresso técnico enorme aparece também **Imprensa.**
nesse tempo com a invenção da imprensa musical.
Depois de ensaios hesitantes de vários impressores,
em 1501, Otaviano dei Petrucci imprime o primeiro
álbum do "Harmonice Musices Odhecaton" com
obras franco-flamengas (11).

E' principalmente nas duas cidades de Veneza     **Orlando de**
e Roma que a polifonia católica do séc. XVI recebe  **Lassus e**
**Victória.**
a sua expressão mais larga e histórica. Há também
o flamengo Orlando de Lassus e o espanhol Victoria,
que são realmente gênios iguais a João Gabriel e
Palestrina, porém a manifestação romântica dêles,
profetizando em Lassus aquela profundeza expressiva da raça (Beethoven e César Franck, êste belga,
aquêle de origem flamenga), em Victoria o realismo
e a exaltação expressiva dos espanhóis (Albeniz,
Manuel de Falla): a manifestação romântica de
Lassus e Victoria é esporádica e não influe históricamente, como influíu o movimento das duas cidades
itálicas.

---

(11) O "Graduale Dominicale", contendo música gregoriana,
é o monumento mais antigo da imprensa musical da América. Foi
publicado no México em 1576. No Brasil a impressão de músicas é
recente, datando do 1.º quarto do século passado.

Cidades naquele tempo profundamente distintas como psicologia social, a música que produzirão vai refletir as tendências delas.

Roma, a-pesar-das liberdades do tempo, cuidava pelo menos em aparentar um espírito mais tradicional e conservador. O movimento dos seus polifonistas está simbolizado na vitória de João Pierluigi de Palestrina, conseguindo que a música não fôsse expulsa do cerimonial católico, pela solução genialíssima das obras dêle. Porque naqueles tempos a música religiosa andava fazendo dispautérios ridículos. O processo de dar como canto-firme das missas uma canção popular cantada com próprio texto da polifonia tão complicada que atingia às vêzes 36 vozes, sarapantou tanto os padres, que êstes (Concílio de Trento, 1562) cuidaram sèriamente em tomar uma resolução cortante: abolir a música do culto! Mas Palestrina criava então obras sublimes, tão dentro do espírito católico, tão inteligíveis no texto pela ausência sistemática de instrumentos e disposição clara das frases, que a proïbição se tornou impossível. Esta tradição, tida um tempo como lendária, parece confirmada por estudos recentes.

Com Palestrina a polifonia atinge a sua expressão mais intrínseca e integral. O côro dêle é exclusivamente a "capela", isto é, sem intervenção instrumental nenhuma. Como observa Knud Jeppensen, com o equilíbrio permanente das duas dimensões da polifonia, a horizontal e a vertical, se conservando dentro da técnica imediata do horizontalismo da polifonia inda achou jeito de ser já um verdadeiro harmonizador ([12]). Já se encaminha

---

(12) Chamam a Melodia e a Polifonia de "música horizontal", porque na escrita e mesmo na sensação auditiva elas se desenvolvem no sentido da horizontal. As linhas melódicas são que-nem

para a Tonalidade; concebe com nitidez a personalidade do Acorde. A escritura dêle, não sendo ainda harmônica, já certas vezes é perfeitamente acordal. E a-pesar-dessa concepção, as vozes cantam livres, sôltas, numa eurritmia prodigiosa. Uma calma grande, uma elevação, um ardor, os acentos mais puros, mais transparentemente luminosos que o gênio musical pôde conceber até agora.

Em Veneza, o que reina é a aventura. Cidade marítima, comercial, riquíssima, ponto de contacto do Oriente com o Ocidente de então, há de tudo dentro dela, aceita tudo e pagodeia. Preparado por Willaert e André Gabrieli, aparece João Gabrieli dando o sentido da polifonia veneziana. Tudo na escola, é exploração, e em João Gabrieli também. A polifonia se enriquece cada vez mais de intenções expressivas, chega a rastrear o sentido do texto que-nem no motete "Timor et Trecor", os cromatismos se multiplicam dourando apureza modal. Não basta para João Gabrieli a música a dois coros que os mestres dêle tinham inventado: subdivide o coral até em quatro coros; e a obsessão do grandioso o leva a escrever as "Sinfonias Sacras" com dezesseis partes, e instrumentos obrigados inda por cima!

*Veneza e João Gabrieli.*

Na verdade era a decadência definitiva do espírito musical católico. O Barroco enfeitador vai dominar as manifestações artísticas do Catolicismo. A religiosidade procura convencer, às vezes convence, pelo fulgor, pelo gigantismo e pela sensualidade mais ou menos disfarçada. Essa fúria de demonstração

*Decadência do espírito musical religioso.*

o horizonte ondulado em morretes e coxilhas. A Harmonia é chamada de "música vertical" porque na escrita, na leitura e mesmo na sensação auditiva, os Acordes são grupos de sons simultâneos, uns por cima dos outros. São por isso percebidos e concebidos verticalmente, como hastes em pé.

brilhante move artistas e cantores. Estão todos tomados por aquêle "colorismo decorativo" com que Van den Borren classificou tão bem os músicos venezianos. O órgão, que se desenvolvia como solista desde muito, pois no séc. XV o organista alemão Conrado Paumann já escrevia Prelúdios e Transcrições para êle, é utilizado agora em Introduções, *Ricercari*, Tocatas, Fantasias, nas mãos de André Gabrieli, Girolamo Cavazzoni e o famoso Cláudio Merulo.

As músicas profanas adaptadas a textos religiosos penetram nos templos. Abandonada aquela palavra verdadeira de São Jerónimo, ensinando que os servos de Cristo cantariam com a intenção de agradar pelas palavras e não pela voz, os cantores "enfeitam" as melodias com vocalizações, trinadinhos, habilidades vocais de vária espécie. Nem as obras de Josquin, nem Lassus, nem as purezas de Palestrina escapam a essa enfeitação dos cantores. Os templos são espaventos de luz, de côr, de sons multiplicados. Pouca distância entre a religião e o carnaval... Veneza de ouro...

Do século seguinte em diante a música religiosa viverá em manifestações isoladas de individualidades e de obras. Uma corrente musical histórica não dará mais. Nem no séc. XIX o movimento beneditino de Solesmes, nem a Escola Cantorum francesa (séc. XIX), nem Pio X (séc. XX) o conseguiram.

A primeira ópera — Edição da
parte da "Euridice" composta
por Caccini

A primeira ópera — Frontispício
do libreto da "Euridice",
de Rinuccini

Baltasar de Beaujoyeulx — A Orquestra dos Tritões, no "Bailado Cómico da Rainha" — París, 1582.

Uma representação musical em Nápoles em 1747 — Gravura em cobre de V. Rè — G. Vasi

O Órgão — "Positivo" alemão de séc. XVII — Museu Histórico de Viena

## Capítulo V

## INÍCIO DA MÚSICA PROFANA

Durante os dez primeiros séculos do Cristianismo a música artística profana é quase que pràticamente nula. Em Roma ainda aparecia de quando em quando algum músico de tradição grega. Tanto assim que lá o imperador merovíngio Clovis mandará buscar um citaredo quando, no séc. VI, tenta nas Gálias a ressurreição dos costumes artísticos da Antiguidade. Porém êsses artistas eram pouco apreciados, mal compreendidos e não tiveram nenhuma influência apreciável no desenvolvimento musical da Idade Média.

M. Profana. Tradição grega.

Mais importantes parecem ter sido os músicos que os bárbaros do norte europeu traziam consigo nas correrias vitoriosas através da Latinidade. Pelo menos, desde os estudos de Léderer, muita coisa sem explicação histórica bem firme, principiou beneficiando a importância musical dos Bardos celtas vindos de Gales. E Machabey demonstrou a intromissão de fórmulas melódicas nórdicas na cantilena litúrgica.

Bardos.

Porém si essas manifestações tal-ou-qualmente eruditas nenhuma influência tinham, ou pouca, ou vaga, sôbre a música artística dos cristãos, havia outra cujo exemplo vai influir na criação da Música Medida. E' o canto popular.

M. Popular.

A música popular anônima se origina em grande parte da precisão de organizar num movimento coletivo as festas e trabalhos em comum. Daí as dansas, as marchas, e os cantos de trabalho, que-nem cantigas de ceifa, cantigas de fiandeiras, barcarolas, acalantos, etc.

Além da forma periódica em Dondó, que é o fundamento mais constante da música popular, são de uso freqüentíssimo nela pequenas fórmulas rítmico-melódicas que se repetem constantemente, facilitando a memoriação da peça e determinando o gesto. Foram talvez, já falei, essas medidas circulatórias, atravessando o organismo todo das cantigas populares que fortificaram na música erudita a idéia de medir os tempos sonoros, e normalizaram finalmente o emprêgo do compasso, no geral de conseqüências mais funestas que úteis.

O compasso e o tempo forte são justificáveis em certas formas musicais, e mesmo são instintivos na arte popular, porém a sistematização dêles e a sua objetivação gráfica por meio da barra-de-divisão foram peias grandes para o desenvolvimento da música artística. Embora dentro dêles se tenha construído obras-primas, a gente pode mesmo afirmar que a inferioridade rítmica geral da música européia, tem como causa mais decisiva a barra-de-divisão e o tempo forte.

**Bardos.**
**Menestréis.** Não sabemos quase nada da música popular dos primeiros dez séculos. Ficaram dela pouquíssimos documentos que-nem o Lamento à morte de Carlos Magno e uma canção milicial de Módena (séc. IX). Durante êsse período a arte popular se conserva na sombra e a sua penetração na música artística é pràticamente nula. Os compositores, especialmente de seqüências, que-nem Notker Balbulus, parece que se

utilizaram de melodias populares. Porém essa utilização se manifestou, não apenas discreta, mas de-
formadora. As cantigas eram adaptadas aos Tons de
Igreja. E assim mesmo, êsses cantos repugnavam à
liturgia romana, pois só no séc. XI ela reconhecerá
oficialmente os hinos que se cantavam em Milão e
nas Gálias, e se adornavam com 4 e 5 séculos de ve-
lhice. Mais socialmente visível é a importância dos
Bardos. Os Bardos percorriam a Europa. E' pro-
vável que as suas cantigas de estação tenham influído
nas festanças de primavera, usadas em maio: as Maias,
*Maierolles, Maggiolatte.* E' possível imaginar também
que, à imitação do ofício meio popular meio corte-
são dos Bardos, é que tenha surgido o tocador-canta-
dor profissional do séc. XI. Em todo caso havia desde muito na Europa continental uma espécie de cantadores estradeiros, classe rebaixada, vivendo de ci-
ganagem, praticando por tôda a parte feitiçaria, cri-
mes e doce música. Eram os Histriões (Jograis, Menestréis), tocadores de instrumentos populares como
a Viela (*Fiedel*), a Rabeca, o Tambor Basco, flautas,
Cornamusa. Crescidos em importância quando os
trovadores apareceram e principiaram se utilizando
dêles como acompanhadores, os menestréis chegaram
a possuir escolas musicais chamadas Escolas de Me-
nestria. Afinal se reüniram em corporações musicais (como a Confraria de São Julião, iniciada no
séc. XIII) que defendiam os direitos dos indivíduos
e da coletividade. Elegiam um chefe que, talvez por
revivescência dos costumes ciganos, chamavam de
Rei, o rei dos menestréis.

Mui provàvelmente por influxo da quotidiani-
dade musical profana que os menestréis davam às
côrtes e castelos, é que os nobres, sem nada que fa-

Trovadores.

zer, principiaram inventando cantigas também (séc.
XI a XIII). Êstes foram os Trovadores (*Troubadours, Trouvères*) de França, e da Alemanha (*Minnesaenger*), a cujo exemplo se formou o trovadorismo europeu, fixador de línguas, influenciador de
música, primeiro reflexo étnico das nações na música do Cristianismo.

A figura mais significativa dêsse movimento é o
*Trouvère* Adão de la Halle, apelidado o Corcunda de
Arraz, que chegou a escrever polifonia em Rondós
e Motetes, profetizador do século seguinte. O mérito
principal dêle está nos *Jeux* (Jogos, Brinquedos) que
compôs, comedinhas musicais de texto galante e pastoral, com que as farsas dos jograis adquiriram fo-
ros de música erudita. Aos *Jeux* e Mistérios se resumiu a manifestação lírico-dramática da Idade
Média.

Ars Nova.     A influência dos menestréis populares e dos
trovadores cortesãos sôbre a música erudita, se manifesta fortemente no séc. XIV. Os compositores artistas principiam introduzindo com freqüência elementos populares em suas obras e modificam muito
a severidade religiosa anterior. Os conservadores
viam isso com escândalo e o Papa João XXII, numa
Bula tremenda (1322), se tornou o protótipo dos
passadistas, condenando os discípulos da nova escola,
que abandonavam o cantochão e inventavam cantos
só dêles, efeminavam as melodias com o discante, lhes
ajuntavam uma terceira voz, as apressavam com notas rápidas "quase imperceptíveis" (as tardonhas mí-
nimas de então...) numa disparada que embria-
gava os sentidos. Tudo inútil, está claro. Os renova-
dores tinham do lado dêles a psicologia coletiva e
dominaram. Chamaram de "Arte Antiga" o movimen-

to envelhecido da escola de París, e se decoraram
com o nome de "Arte Nova", título dum livro teórico de Filipe de Vitry (†1361) bispo mksico francês.

A Arte Nova teve dois focos principais: a Tos-     **Focos.**
cana e a França.

Na França, Vitry, Machaut famosíssimo, Lescurel    **França.**
trovador arsnovista, desenvolvem sobretudo as pesquisas do mensuralismo e fundem a estética trova-
doresca na técnica erudita. Em Florença com o tam-  **Florença.**
bém famosíssimo Francisco Landino, João de Caccia,
o teórico Marchetto de Pádua, se desenvolvem sobretudo as formas musicais. Aparecem a Caça, no
geral a duas vozes, em estilo imitativo obrigado, e
dotada dum Baixo, provàvelmente instrumental; a
Balada, primitivamente canção coreográfica, e já
nesse período caracterizada pelo processo de estrofe
e refrão; o Madrigal, importantíssimo, forma por excelência da polifonia profana, e então quase sempre
a duas vozes e de assunto pastoral. O Madrigal, alar-
gando assunto e tamanho, se tornará tão dramático,
que engendrará os Intermédios do séc. XVI itálico.

Os trovadores afinal não passavam de amadores    **Crítica.**
(Wooldridge). O grande passo dos arsnovistas foi
implantar a profanidade na música profissional e ini-
ciar a expressão adequada a ela, pela maior inquietude dos andamentos, pelo vulgarização da binaridade e do Do Maior populares, pelo alargamento dos
intervalos melódicos, e pelo Cromatismo que vai se
reorganizando então com a *Musica Ficta* (música fin-
gida, falsa). A *Musica Ficta*, definida por Vitry, foi
a tendência que reconhecia a precisão e emprêgo do
som cromático, para andamento mais lógico das vo-

zes polifônicas (¹³). E, principalmente com os tos-
canos, a preocupação da melodia gostosa é tão evidente que embora êles ainda não pensassem harmô-
nicamente, como observa Wolf, já vão tendendo para
a melodia solista, acompanhando-a com polifonias de
instrumentos, bordando-a de vocalizações que nada
têm que ver tècnicamente com os melismas do gregoriano. Ora êsses processos levam naturalmente o
compositor e ouvintes a transplantarem a maneira de
conceber e de escutar música, e a se interessarem
melòdicamente pela linha mais aguda, que se distingue mais. Passos enfim definidos claramente em
prol da música profana e do conceito musical harmônico.

Tôdas estas tendências e progressos vão se firmando com modéstia subterrânea durante o séc. XV,
humilhados pelo surto religioso dos franco-flamengos.

Século XVI. Até que surge o séc. XVI. Estamos no período
mais aventureiro da Renascença. Tempo de desco-
brimentos variados e de mudanças profundas. A lo-
cubração estética se manifesta pode-se dizer que pela
primeira vez na Civilização Cristã. O desenvolvimento do Humanismo, que se caracteriza principalmente pelo estudo da Antiguidade clássica, descobre
a dialética grega, os estetas antigos e cai no raciocí-
nio e na discussão estética. De-primeiro se fazia Arte
sob o costume da tradição e do momento. Agora os
problemas estéticos inundam os cenáculos principes-
cos onde os artistas vivem e tôda a gente discute

_____

(13) Foi com a *Música Ficta* que o Bemol e o Bequadro
principiaram a ser sistematizados como Acidentes. Os Neumas
empregados por Guido d'Arezzo na notação dêle, eram de forma
quadrada. Para designar pois o si bemol (b, na solmização alfabética) necessário para a modulação dos seus hexacordes, Guido
d'Arezzo, em vez da figura b em forma quadrada (*b quadrum*),

como se deve fazer arte. As côrtes brilham pelos saraus de caráter quase científico em que o sucesso da festa se condensa na discussão de problemas intelectuais. Até as mulheres viraram sabichonas. Tôda a gente fala o grego e o latim. Agora se conhece aparentemente bem a Antiguidade Clássica e o mundo é tomado duma verdadeira fúria pela Grécia. Exaltada pela moda, a civilização helênica aparece como um ideal. Tôda a gente só estuda a Grécia, só quer saber da Grécia e imita a Grécia. Esta macaqueação vai ser fecundíssima para a música.

Por outro lado o espírito de rebeldia religiosa se alastra. O aparecimento de Lutero, de Calvino, de Zuínglio, vem dar o impulso final a essa rebeldia, reformando sob normas novas a Religião Cristã. E' a Reforma.

Os sábios vinham revolucionando as idéias, dando explicações novas e uma liberdade inexistente de primeiro. Montaigne, Copérnico, Galileu, Gutenberg, Coster, Camões, Shakespeare, Cervantes, Da Vinci, Machiavelli, assim como os navegantes de Portugal e Espanha tinham dado um mundo de terra com as Índias e a América, davam mundos novos de pensamento e de pesquisa ao homem.

A música também estava descobrindo um mundo novo: a Harmonia. E não basta para ela êsse mundo inexplorado. Quebra resolutamente com o espírito religioso e retoma o espírito profano. O que aliás ainda pode ser uma conseqüência da firmação

---

empregava uma figura com o perfil amolecido e arredondado (*b molle*). Essa foi a origem dos *nomes de Notas*: Bemol e Bequadro, que a *Música Ficta* principiou a conceber como *nomes e figuras de Acidentes*. E o Bequadro, que tinha a função de elevar o som mais um semitom, também tomava, na grafia, a figura do Sustenido atual e deu origem a êste.

conciente do conceito de harmonia... Com efeito:
na Polifonia se dá *união* de melodias e nunca *fusão*.
Na Harmonia se dá *fusão* de sons e não *união*. A
Harmonia vai implìcitamente de encontro ao princípio Religioso do Cristianismo, o "princípio congre-
gacional", que Wooldridge soube tão bem salientar
na polifonia.

Canção.          O séc. XVI é a fase da Canção. Porém agora o
que se entende por canção não é uma toada de gênero popular, nem se inventou ainda a mania de
imitar popularescamente o povo. Trata-se duma forma desenvolvida e aprimorada, um pouco amaneirada
mesmo, como poesia. Poèticamente há grande variedade na forma das estrofes, cada estrofe em geral seguida por estribilho. O tamanho das canções
também varia muito, e se algumas são pequeninas,
outras não acabam mais, de tamanhas. Seus temas
preferidos são o amor... e o amor. Em geral o
amor. Porém amor cortês, cheio de delicadezas e
grã-finismo de expressão. Às vezes se canta a natureza também.

Musicalmente a canção é sistemàticamente tratada, por todo o século, em polifonia que vai de duas
até seis vozes. Em todo caso, dentro dessa concepção polifônica, o Madrigal itálico, a "Chanson" francesa, a "Song" inglêsa, o "Lied" alemão, trazem o
germe da melodia acompanhada. Tanto o sentido
individualista dos textos, como a evolução cada vez
mais harmônica da polifonia, propunham, desde já,
o canto solista acompanhado por instrumento. E a
canção avassala a criação artística do tempo. Assim
como o século anterior fôra a fase da missa, o séc. XVI
é a fase da canção. Si os artistas, ainda até o século
XVIII escreverão muita música religiosa, o que os

particulariza e define o espírito novo é a música profana.

Na França, no princípio do século, se debatem
duas correntes distintas de compositores de canções.
Uns estão ainda sob o domínio da técnica flamenga,
outros estão sob o influxo direto do humanismo e procuram pôr em prática as teorias dos gregos. São êstes que principiam compondo versos "medidos à antiga", destinados expressamente ao canto. Porque se
na Grécia as poesias eram sempre cantadas, assim é
que a gente devia fazer também. Movimento iniciado por Baif, teve seu representante máximo no poeta
Ronsard, cujos versos foram musicados pelos principais compositores franceses de então, Claude le Jeu-
ne, Mauduit, Goudimel.

O valor da Chanson, para a música nacional
francesa, é decisivo. Ela conduz diretamente às
Árias de Côrte, isto é, à Melodia Acompanhada nacional. E, por seu lado, provinda de elementos desenvolvidos na própria França, isto é, das cantigas do
trovadorismo e da Arte Nova, era uma manifestação
de música erudita já impregnada de psicologia racial.
Ao passo que a Song e o Lied artísticos vão se disper-
sar, perder tempo, italianizantes, imbuídos de madrigalismo: a Chanson contém desde já caracteres específicos bem nacionais. Uma doçura refinada, elegante,
delicadamente sentimental, disfarçando bem a banalidade insípida da música francesa (quando banal),
(diversa da banalidade violenta, sensual da italiana,
e da banalidade ingênua ou grosseirona da alemã);
propensão intelectualista pra se sujeitar, expressiva e
tècnicamente, ao texto musicado; o equilíbrio da
forma; a habilidade bem disfarçada.

Está claro que nessa "música medida à antiga" o que havia de importar mais era o ritmo. Teve de--fato importância enorme. Mas si não realizou como pretendia a rítmica grega, e si violentou às vezes cômicamente os acentos naturais do texto, criava uma rítmica livremente musical, duma clareza que a polirritmia polifônica anterior desleixara por completo. E abandonando, pra ser clara, as Imitações, os Cânones e o entrelaçamento de textos dos flamengos, a Canção à antiga, apresentou tôdas as partes do coral, evoluindo dentro dum ritmo só. Se compare esta passagem "flamenga" de Nicolau Gombert:

com esta passagem de Jaques Mauduit·

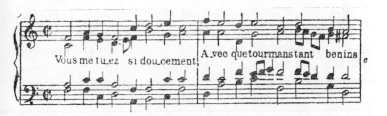

Vous me tu_ez si dou_cement! A_vec que tourmans tant benins e

O primeiro exemplo é essencialmente polifônico. O segundo já muito mais harmônico que polifônico. Os acordes aparecem claramente se concatenando. E isso era a Harmonia.

O Lied alemão, na sua manifestação mais nacional, vai nos interessar no capítulo seguinte. Mas também na Alemanha o Humanismo fazia das suas, e Conrado Celtes propaga a música à antiga. A moda de todo compositor alemão ir estudar na Itália principia se generalizando. No fim do século, com Henrique Isaak, Miguel Praetorius e principalmente o notável Hans Leo Hasler, voltados de Veneza, o madrigalismo itálico penetra na Canção alemã.

*Lied.*

Na Espanha, se originando dos Hinos latinos e dos cantos árabes, surge o Romance, desmembrado em Cantigas, *Tonadas*, Vilhancicos e outras formas, desenvolvendo o emprêgo nacional da *Vihuela*, e, do séc. XVII em diante, da Guitarra. É ainda se inspirando nos diálogos do Romance, que Juan del Encina funda o teatro musical ibérico.

*Romance.*

Na Inglaterra a Canção também se impregnou de madrigalismo. Os madrigalistas ingleses são mais intimistas, menos luminosos e tão perfeitos como os itálicos do tempo.

*Song.*

Pode-se dizer que o conceito harmônico já estava estabelecido na península itálica desde o século XV, com as canções profanas. Destas, a principal era

*Frottola.*

a *Frottola*, amorosa, com estrofe e refrão. Surgida diretamente da fonte popular solista, os artistas que fixaram a *Frottola* na música erudita, lhe deram uma polifonia simples, no geral nota contra nota, provavelmente instrumental (alaúde, címbalo, harpa), já tìpicamente de função acompanhante, desprovida de canto-firme circulatório, e com a melodia no agudo, pra ser distinguida bem.

**Madrigal.**     Para os humanistas itálicos do séc. XVI, o problema rítmico, também preocupação dêles, já achava na *Frottola* quatrocentista uma solução antecipada. Generalizaram então o Madrigal, caracterizado pela sutileza mais rebuscada dos versos, mas que não passava de desenvolvimento e aperfeiçoamento da *Frottola*. O curioso é notar que os músicos que mais importaram na criação do Madrigal, forma típica da polifonia racial italiana, são todos flamengos ou franceses, vivendo então por lá. Willaert foi chamado o "Pai do Madrigal". E Arcadelt em Roma, Cipriano de Rore em Veneza, Verdelot, Felipe de Monte são ainda estrangeiros. Dessa origem, muito embora se distinguindo bastante do polifonismo franco-flamengo, o Madrigal toma um aspecto mais verdadeiramente polifônico que a Chanson à antiga.

De Veneza, pátria dêle, o Madrigal se espalha com rapidez, fixado na sua forma específica a cinco vozes. Nessa forma sai da península e viaja pela civilização européia tôda.

O Madrigal resume as conquistas da música do séc. XVI. No côro de cinco partes, as vozes movem inteiramente livres, sem canto-firme, cada parte possue seu tema. Por momentos aparece a escritura acordal. Isso é raro. Mas o conceito monódico predomina com a prevalência, não só natural, mas pro-

curada da voz superior. É a "monodia na polifonia" para me aproveitar da expressão de Alfredo
Einstein. Pràticamente polifônico, acena já para a
harmonia, e é um dos teóricos dêle, Zarlino, quem
prega pela primeira vez a excelência da Tríade Tonal, base da Tonalidade, base da Harmonia.

A procura da expressão já pretende representar
por imagens sonoras o sentido do texto. O diatonismo modal se esfrangalha todo, e agonizará até meados do séc. XVII, sob a saraivada dos sons cromáticos
que lhe atiravam os mais audaciosos, Nicolau Vicen-
tino, Rore ("Madrigais Cromáticos"), Gesualdo
Monteverdi.

A procura de brilho leva à prática e desenvolvimento instrumental. É reconhecido e gostado o elemento instrumental puro. Música pra órgão, pra
alaúde. E até para pequenos agrupamentos, como
aquela "Canzona" de João Gabriel, pra dois violinos, duas cornetas e dois trombones. Combinação
que até parece de hoje!...

Desenvolvi-
mento
instrumen-
tal.

Estão aparecendo os instrumentos de arco, porém a importância dêles se manifestará só no século
seguinte. Os instrumentos que dominam são o órgão, o alaúde e as primeiras espécies de clavicórdios.

O alaúde foi o instrumento familiar dos séculos
XV e XVI. Instrumento polifônico, talvez de origem árabe, tinha seis cordas dedilhadas e caixa de
ressonância semi-esférica. Parente do violão. Servia bem pra executar peças corais transpostas e para
acompanhar cantores solistas. Mas também possuía
função independente, executando dansas, Alemandas,
Branles, Correntes, Pavanas, Galhardas, Passacalhas,
Gigas, Saltarelos, Dansas-Baixas, então em prestígio
tamanho que reünidas em série (Morley na Ingla-

Alaúde.

terra, Dalza na Itália, Schein na Alemanha, Arbaut
na França) já esboçam a forma da Suíte.

A influência do alaúde foi grande. Eram numerosos os virtuoses dêle. E pelo emprêgo das Tavolaturas, pela facilidade que apresentava para uma dedilhação acordal, a afirmação já realizando pràticamente o Sistema Temperado, o alaúde era um convite constante à harmonia.

**Virginal.**     Quanto aos instrumentos de corda e tecla, clavicórdios, clavicímbalos, espinetas, o que importou mais
no tempo foi o Virginal, predileto da rainha Elizabeth e desenvolvido na Inglaterra. Os virginalistas
inglêses atingiram uma perfeição técnica, uma graça
de invenção, uma riqueza formal extraordinárias.
Foram êles os criadores concientes da forma da Variação (*Ground*), de tamanha importância em seguida. Byrd, Gibbons, Bull... E Munday, que teve
a idéia mortífera de descrever uma tempestade por
meio do instrumento. Depois dêle, quanta tempestade...

CAPÍTULO VI

# MELODRAMA

Embora a Polifonia continue de uso comum até
meados do séc. XVIII, agora a música vai mudar inteiramente de aspecto na sua orientação. A data de
1600, ano em que foi representada a "Eurídice"
em Florença, pode ser tida como a... inauguração
oficial duma fase nova, a fase harmônica, que vai
perdurar pelo menos até nossos dias.

Considerando pois a música pelo seu elemento
mais específico, o som, o Cristianismo pode ser di-
vidido em três fases distintas: a fase monódica (século I a séc. X); a fase polifônica (séc. X a séc.
XVII); a fase harmônica (séc. XVII a séc. XX).

O séc. XVII apresenta uma fisionomia essencialmente distinta dos séculos anteriores. Musicalmente
êle pertence à península itálica, pois é lá que nascem
ou se fixam as tentativas novas. É lá que surgem o
conceito novo de música dramática, as formas do Recitativo e do Melodrama, e se fixam o gênero sinfônico, os processos de Tonalidade e da Melodia
Acompanhada.

A Melodia Acompanhada é o processo de acompanhar por meio de harmonias uma melodia solista.
Nas canções polifônicas pouco a pouco a voz superior
tomara pra si o interêsse melódico da peça. Isso
ajudara a distinguir a personalidade dos acordes e

Melodia
Acompa-
nhada.

a correlação entre êles. Uma harmonia rudimentar aparecera. O passo grande que a melodia acompanhada avançou sôbre isso, foi desassociar dos acordes a melodia, pôr em oposição morfológica melodia e harmonia.

**Baixo--Contínuo.** A melodia é agora alimentada por um Baixo--Contínuo, com o qual os acordes formam corpo. Melodia e harmonia são agora dois corpos distintos: um horizontal, outro vertical, se reünindo num todo eurrítmico indissolúvel.

Desde as teorizações de Zarlino, vinha se firmando a precisão duma série de sons graves servindo de base para os encadeamentos sonoros. Si na polifonia a voz mais grave está em igualdade de importância com as outras, para formarem tôdas juntas um corpo sonoro essencialmente horizontal, na harmonia os acordes verticais precisam duma base que os alimente e lhes conceda uma razão de ser lógica. É o Baixo que exerce essa função, fundamentadora, geradora e concatenadora dos acordes. Êsse Baixo da harmonia tem importância idêntica à da melodia que êle acompanha. "Contendo em potência a melodia", como diz bem Pannaim, o Baixo forma com a melodia uma união vegetal de que êle é a raiz, e ela a flor. Surgiu dessa necessidade o Baixo-Contínuo, firmado desde a última década do séc. XVI. Nos manuscritos de então só êle e a melodia estão escritos musicalmente. Os outros sons dos acordes são indicados por números correspondentes aos intervalos que êsses sons formam com o Baixo. A isso chamaram de Baixo Numerado. A teoria dêle já está fixada por Ludovico Grossi da Viadana nos seus "Concertos Eclesiásticos" de 1602.

João Sebastião Bach — Autógrafo do "Prelúdio e Fuga" em si menor para órgão — Museu Heyer, Colônia

Tavolatura italiana para guitarrão.
Início do séc. XVII

O Cravo — Obra de Giov. Ant. Baffo, Veneza, 1574.
Museu Victoria and Albert, Londres

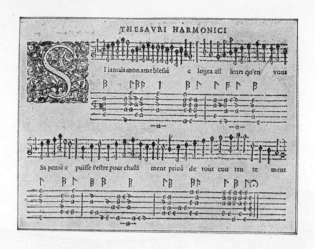

Tavolatura francesa de alaúde — Início do séc. XVII

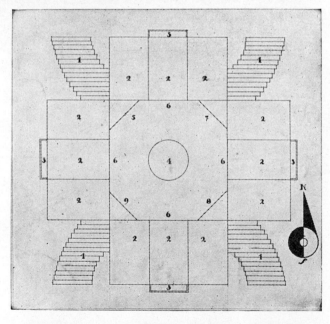

Projeto para uma sala de concertos, no séc. XVII
No centro a mesa de direção (4), em tôrno da qual
se distribuem os executantes e órgão (8). Na parte
exterior (1, 2 e 3) se distribuem as escadarias de
acesso, galerias e balcões para os ouvintes.

Com a Melodia Acompanhada impõe-se de novo o problema da união da palavra e da música, que pràticamente deixara de existir na barafunda de textos e ritmos da polifonia. Porém entre a união de palavra e música de agora e a realizada dez séculos antes pelo gregoriano, existe uma diferença vasta. No cantochão a música efetivava o destino intelectual da palavra, lhe acentuava a rítmica oral e, predispondo sentimentalmente o ouvinte, facilitava a eficiência moral do texto. Mas deixava a palavra falar. Agora, a-pesar-de afirmarem todos que a música é escrava da palavra, ela se tornou uma escrava despótica, prejudicando a rítmica oratória por meio de sons que não se desenvolvem no movimento oral da frase, mas são medidos em tempo musical. E não deixa mais a palavra falar por si. Quer sublinhar o sentido dela por meio dos intervalos melódicos, dos ritmos, harmonias e timbres. No cantochão a música é a *efetivadora fisiológica* do texto. Na melodia acompanhada ela é a *comentadora psicológica* do texto.

*União de Palavra e Música.*

A manifestação principal de melodia acompanhada no séc. XVII, é o "Estilo Recitativo", que se apresentou nas formas de Melodrama, Oratório e Cantata, inventadas na Itália e generalizadas pela Europa tôda.

Essa procura da expressão desenvolve o dinamismo musical. Domingos Mazzochi no prefácio do seu livro de madrigais (1640) já indica a aplicação do Crescendo e do Diminuendo. E embora na infinita maioria das vezes os autores inda não se preocupem de indicar o "piano", o "fortíssimo" etc. (processo que só se generalizará no séc. XVIII), já aplicam fran-

*Expressão dinâmica.*

camente as mudanças dinâmicas da intensidade sonora na execução.

A expressão sentimental por meio de música tornara conciente, no século anterior, o valor dinâmico da dissonância, e levara ao emprêgo expressivo do som cromático. Agora a expressão sentimental se desenvolve inda mais, ajudada pela comoção fatal da voz solista e pelos instrumentos. Foram êstes que provocaram a maior liberdade e o alargamento dos intervalos melódicos. Com Monteverdi, então, êles já são permanentemente concebidos como passíveis de caracterizar ambientes e estados de alma.

**Voz e instrumento.**
Durante tôda a fase harmônica se dá uma luta ilustre entre o instrumento vivo da voz e os instrumentos construídos pelo homem. Disso provieram males e benefícios.

Os instrumentos se apressam em adquirir liberdade solista. Se libertam da voz e conseqüentemente da palavra e da inteligência. Cria-se (séc. XVII) a noção da música exclusivamente musical, Música Pura. Estèticamente falando isso foi um benefício incomensurável. Se fixam o Solo instrumental e o pequeno agrupamento de instrumentos com função coreográfica; e surge agora a prática do Sinfonismo, isto é, dos agrupamentos orquestrais. Com tudo isso a Música da civilização cristã é por fim elevada a um conceito exclusivamente sonoro, à mais completa, mais livre, mais perfeita, mais pura manifestação dela, principalmente com o séc. XVIII e a nossa atualidade. Mas por outro lado, sobretudo no movimento Romântico do séc. XIX, vai aparecer o preconceito da Música, desligada da palavra, ser capaz de expressar intelectualmente os sentimentos (Schumann, Chopin), os fatos (Berlioz, Liszt), as idéias (Beethoven,

Wagner, Strauss) (<sup>14</sup>). Preconceito estèticamente defeituoso a-pesar-das obras e dos homens que o ilustraram.

Também, por outro lado, a voz imita a liberdade dos instrumentos e os efeitos instrumentais; e se cria o "Bel Canto", de origem itálica (... séc. XVIII). Mais tarde (séc. XIX) serão os instrumentos que, grandemente influenciados pelo belcanto, caïrão no exaspêro da virtuosidade (Paganini, Liszt). Por outro lado, os compositores (séc. XIX e XX) se esquecerão às vêzes que a voz tem a grandeza e os limites da precariedade humana. Êsse esquecimento, ilustrado pela escritura vocal de Beethoven (Nona Sinfonia) e de Wagner, se tornará um perigo sério em nossos dias. As mais das vêzes é positivamente um desacêrto. Mas cria a prática da voz na orquestra, de uso na atualidade.

Teòricamente falando, a harmonia em relação à polifonia era uma decadência. Ou antes, uma facilidade. A polifonia é muito mais rica, imprevista e principalmente difícil. A harmonia é um convite constante para a confusão da música artística com a precariedade modulatória da música popular. O lugar-comum da Tríade harmônica é a fonte de tôda uma série de lugares-comuns modulatórios, cadenciais e até melódicos. Na prática porém, a harmonia não é nenhuma decadência não. É... outra coisa. Nela vão se realizar grandes gênios e obras sublimes.

Harmonia e Polifonia

No séc. XVII a harmonia se definiu nas suas bases práticas. É o reino do Do Maior, como falou Maurice Emmanuel. A Tonalidade, que é harmônica, vence definitivamente o Modo, que é monódico. As têrças se infiltram nos acordes, completan-

---

(14) Os nomes indicam apenas protótipos dessas tendências.

do a fusão de Tônica e Dominante pela fixação da
Tríade Tonal. E com Monteverdi, a hierarquia dos
graus da Tonalidade se define.

**Notação.**     A Notação, em suas linhas gerais, é a nossa.
Pauta de duas séries de 5 linhas a que liga uma linha
imaginária:

Se fixam as sete claves atuais. As notas já são
redondas e com haste do lado. Se generalizam as
Partituras de conjunto. Se fixam os sinais numéricos
de compasso. A quadratura das dansas faz surgir a
Barra-de-divisão entre compassos. A quadratura
principia afetando tôda música. O séc. XVII marca
realmente o início da confusão entre ritmo e compasso.

**Intermédio.**     Florença teve uma atividade musical muito grande na segunda metade do séc. XVI. Nela é que
surgiu o novo teatro cantado, por evolução das Pas-
torais e dos Intermédios. O Intermédio foi uma con-
ciliação curiosa entre o madrigal polifônico e o pen-
dor para o teatro. A função histórica dêle, no melodrama, é mais ou menos a função conciliatória que
o *Ballet* vai ter no teatro lírico francês. Nos entre-
atos das representações faladas era costume drama-
tizarem um madrigal polifônico, sôbre assunto inspirado na Antiguidade Clássica. Chamavam isso de
Intermédio. O côro tinha tantas vozes quantas as
personagens do texto dialogado e, à medida que cantava, os dansarinos mimavam em cena o assunto do
madrigal.

A Pastoral já era em melodia acompanhada, e se desenvolveu principalmente no cenáculo (*Camerata*) do conde Bardi. Era no palácio dêste que se reüniam os modernistas do tempo. Aí se professava horror pela polifonia e se revidava com fúria aos ataques que os passadistas faziam chover sôbre a música nova. A convicção dos humanistas da camerata de Bardi, (o poeta Rinuccini, os músicos Vicente Galilei, Jacó Peri, Júlio Caccini) era que, tal-e-qual na Grécia, se devia falar em música, "recitar cantando", como se exprime Emílio del Cavaliere, isto é: que a música devia de representar os acentos oratórios da frase, ser uma declamação dotada de sons musicais, ser *recitada*, enfim. Criaram pois o Estilo Recitativo. As experiências mais características dêsse estilo foram uma Pastoral de Peri, " Dafne" (1594); as "Lamentações de Jeremias" de Galilei; e as "Nuove Musiche" de Caccini, já célebres e muito cantadas antes de impressas em 1602. Não fazendo parte da Camerata, ninguém sabe porque, outro modernista forte vivia então em Florença: Emílio del Cavaliere, autor das pastoriais (1590) "O Sátiro" e "Desespêro de Filene". Com esta, a famosa cantora Vitória Archilei, "recitando" as melodias, diz-que arrancou lágrimas de muita gente.

**Estilo recitativo.**

Em 1600 afinal essas tentativas eram coroadas por um drama em música, um Melodrama, a "Eurídice" com versos de Rinuccini e música de Peri e Caccini. O sucesso foi enorme e a obra imitada. Dez anos depois já o melodrama está espalhado na península. Constantino Agazzari ("Eumélio", 1606) em Roma; Marco da Gagliano ("Dafne", 1607); Monteverdi ("Orfeu", 1607); ("Ariana", 1608) em Mântua; Jerónimo Giacobbi ("Andrômeda", 1610) em Bolonha.

**Melodrama.**

O melodrama foi criação exclusivamente cortesã, não tendo no início nenhuma intenção socializante. Era um espetáculo "para os príncipes", como dizia o próprio Marco da Gagliano. Não se relacionava pois com nenhuma das manifestações lírico-dramáticas de função popular, aparecidas nos tempos anteriores. Nada tem que ver com o Drama Litúrgico e os Laudes, nem com os Mistérios e Farsas, nem com as festanças de maio e de carnaval. Foi, inicialmente, sempre representado dentro de palácios e só em 1637 é que aparece em Veneza o primeiro teatro público de melodrama, o São Cassiano.

As representações eram faustosas, com grande luxo de guarda-roupa, cenário e maquinário, dragões se movendo, serpentes berrando e escorrendo sangue, fogo de verdade nos infernos, gente voando. A harmonização acompanhante era confiada a um grupo de instrumentos, no geral polifônicos (cravo, alaúde, guitarrão, lira grande) ([15]). Colocados por detrás da cena, improvisavam, mais ou menos à vontade o acompanhamento, tendo sob os olhos o baixo numerado. Duplicavam também a melodia e a enfeitavam com melismas. Não havia pois nenhuma preocupação de timbre sinfônico e muito menos de caracterização expressiva do drama. Só com Monteverdi é que aparece o primeiro ensaio de orquestração verdadeiro. Melodramas bem insípidos pra nós, recitativo atrás de recitativo, de vez em quando um côro ou um intermédio instrumental geralmente coreográfico.

**Monteverdi.**        O gênio de Cláudio Monteverdi é que havia de organizar o melodrama e a melodia acompanhada em bases já com valor musical permanente. Polifonista

---

(15)  Os instrumentos polifônicos serão suprimidos da orquestra só no tempo de Haydn, para reentrarem nela com a atualidade.

e harmonista, é a personalidade que marca o ponto
de contacto entre a fase anterior e a nova. Funde,
melhor que João Sebastião Bach, tôdas as tendências
musicais; e teve função histórica superior à do grande
alemão porque, ao passo que Bach viria saüdosista e
anacrònicamente apontar para trás o passado, Monteverdi profetiza um futuro de três séculos. Com êle
a gente percebe estar no domínio daquele conceito
musical que organiza a obra dos mestres que nos são
familiares. De-fato nos melodramas dêle e mesmo
nos madrigais, a gente já encontra, com seu mecanis-
mo essencial, todo o aparelho de que vai se formar a
criação melódica, harmônica, instrumental, psicológica da fase harmônica. O recitativo já é decidida-
mente melódico, sem aquela secura que a preocupação
de sublinhar o movimento oratório da frase dera e
dava aos outros. Monteverdi é um realista preo-
cupado com a expressão impressiva. Isso lhe dita
a estética e a técnica. Seus madrigais se "desmadri-
galizam". Às vêzes são melodramas como tragicida-
de, ou antes, tendem para a Cantata nascente. Sistematiza pela primeira vez o acorde de Sétima de Dominante nas cadências: passo enorme que dava para
a harmonia não só uma lógica tonal inda não firmada,
como, destruindo a pacífica tradição dos acordes de
só três sons diferentes, concebia o primeiro acorde
de quatro sons, porta aberta pra acordes de cinco e
mais sons (¹⁶). Ataca expressivamente Sétimas e No-
nas sem preparação. Inicia o emprêgo abusivo das

---

(16) Julian Ribeira garante o emprêgo sistemático da Sétima
de Dominante nas polifonias cristiano-árabes do "Cangaceiro de
Palácio", do séc. XV. Talvez o musicólogo espanhol tenha provado
demais, percebendo nessas polifonias firme senso harmônico-tonal
e sutilezas acordais modulatórias que só se empregariam no séc.
XVIII, na harmonia clássica. É certo que já pelo menos em Joaquim

térças. Concebe efeitos expressivos com a Quinta
Aumentada e a Sétima Diminuída. Concebe os instrumentos como reforçados da expressão dramática;
define a fôrça ambientadora dos refrãos instrumentais das melodias; concebe a Sinfonia de abertura da
peça e os intermédios instrumentais de ligação de
cenas. É o primeiro orquestrador que aparece na
história. Cria já uma legítima orquestra com os quarenta instrumentos do "Orfeu", acentuando a eman-
cipação orquestral, embora não se preocupe ainda com
a homogeneidade e o equilíbrio sinfônico. Inventa
o Trêmulo pra cordas.

Monteverdi é talvez o maior experimentador que
a música da Civilização Cristã apresenta. Parece que
previu tôdas as formas futuras do teatro cantado.
Prefere os temas históricos aos mitológicos. Acentua
a decadência da música religiosa. Compreende o futuro Drama Lírico, com base na expressão poética,
inventa o *"Stile Concitato"* (Estilo exaltado) e acena
para o Motivo Condutor (*Leitmotif*) como fôrça expressiva simbólica ("Orfeu"). E já foge às vezes do
melodrama, e indica a Ópera com base na invenção
exclusivamente musical, divisando a forma da Ária
("Lamento de Ariana") e a boniteza musical em si
("Coroação de Popéia").

Oratório e
Caríssimi.

Com o exemplo e tradição dêsse gênio formidável, sustentada e elevada em seu prestígio pela obra
de Francisco Cavalli e Marcantônio Cesti, Veneza
domina a criação melodramática do século. É na
orientação dela que o recitativo itálico atinge admi-

---

(séc. XV), Casella descobre um autêntico acorde de sétima de dominante, com quatro sons... Nem aqui se diz que Monteverdi
inventou êsse acorde. O que fêz foi sistematizar concientemente
o emprêgo cadencial-tonal dêle, pondo-o numa evidência que jamais
tivera dantes.

rável flexibilidade melódica, principalmente com o romano Giacomo Carissimi nos seus Oratórios latinos. Carissimi está a-par-de Monteverdi no século.

O Oratório foi a solução genialíssima da música dramática religiosa. Embora as Paixões e Mistérios se arrastassem ainda de longe em longe, desde muito que estavam afastados do culto e da ortodoxia católica. O valor social da representação, os atrativos profanos do drama, personagens simpáticas provocando amor e personagens antipáticas despertando ódio, a atração da comicidade, o luxo das roupas vistosas e os efeitos da cena dão prazeres que prejudicam a religiosidade e a edificação. Por tudo quanto faz o teatro, principalmente teatro com música (isto é: ainda mais afastado da inteligência que o drama falado), o drama cantado está imediatamente em desacôrdo com a intenção de despertar fé, que levara os padres da igreja medieval a porem em música a Paixão de Cristo e a vida dos santos. Êsse desacôrdo se acentuou à medida que os elementos artísticos das Paixões e dos Milagres se desenvolveram. Foi logo tamanho que provocou a secularização do Drama Litúrgico. A representação foi expulsa dos templos, deixou de ser executada por clérigos, viveu com assuntos religiosos mas completamente profanizada. Não haveria outro jeito de realizar a dramaticidade religiosa, evitando os inconvenientes do teatro? Havia. Era conservar o drama e tirar dêle a representação. O Oratório foi isso. É certo que os homens que criaram esta forma admirável de drama religioso não tiveram intenção de resolver o problema que enunciei. Não só os primeiros oratórios foram representados como, no séc. XVIII, quando a forma já estava bem estabelecida, veremos o temperamento teatral de Haendel não se conformar com essa religiosidade essencial de oratório e fazer representar os dêle. Mas a conseqüência das tentativas de São Filipe Neri foi resolver duma vez por tôdas o maior problema da música dramática religiosa.

São Filipe Neri fundara a congregação dos Oratorianos, que professava no "oratório" de Santa Maria della Vallicella. Com a intenção de atrair e edificar os freqüentadores do templo, São Filipe realizava nêle cerimônias que consistiam em contar a vida dos santos em sermões intercalados de cantos corais, os Laudes Espirituais (*Laudi Spirituali*). Parece mesmo que logo o próprio São Filipe Neri usou a representação dramática nessas festas religioso-musicais. Por se realizarem no *oratório* de Santa Maria, foram chamadas de Oratório. O acontecimento importante que data a fixação da forma representada do Oratório, foi a execução, em Santa Maria, da "Representação de Alma e Corpo", de Emílio del Cavaliere. É o Oratório mais antigo que possuímos. Teve um sucesso enorme e de-fato essa obra, representada no mesmo ano que a "Eurídice" da Camerata florentina, se avantajava muito a êste melodrama, pela variedade, riqueza coral, elasticidade do recitativo e emprêgo de solos orquestrais desenvolvidos. Depois dessa representação o Oratório meio que parou. Novas tentativas apareceram, principalmente com Domingos Mazzochi, vinte anos depois. Enfim chegou Carissimi que, talvez se inspirando na forma primitiva dos sermões historiados de São Filipe Neri, empregou nos oratórios dêle o Histórico, personagem que conta o que está sucedendo e cujo reconto é intercalado por coros, solos, diálogos das personagens que figuram no caso contado. E então se principiou a não representar mais o oratório. Êle se fixou na sua forma

atual: um drama religioso não representado, pra coros, orquestras, solos de personagens dramáticas e do
Histórico relatador.   É a última forma musical que
o Catolicismo apresenta.

Espalhados por tôda a parte, os itálicos proce-
dem que-nem os franco-flamengos e inundam a civilização européia de músicas, cantores e compositores.
É com êles que o melodrama aparece na Germânia,
na Inglaterra e na França.

Nos países germânicos, em 1627, Henrique
Schuetz faz representar a sua "Dafne" sob molde integralmente italiano.   Em Munique, Dresde, Viena,
Berlim, itálicos legítimos e compositores italianizados
propagam o melodrama italiano. Só Hamburgo ( . . .
séc. XVIII), com Theile principalmente, Franck, Mat-
thesou, Telemann e o maior de todos Reinhard Keiser,
iniciou uma orientação dotada de alguns caracteres
nacionais.   Os textos eram tirados da Bíblia, ou da
lenda e da anedótica germânicas; a música se inspi-
rava no canto popular.

Na Inglaterra se debatem tardiamente, já na segunda metade do séc. XVII, influências itálicas e francesas primeiro, depois ainda itálicas e germânicas. A
Inglaterra vinha desde a abertura da polifonia enriquecendo a música de processos, formas e tôda uma
coleção interessantíssima de compositores polifônicos
e instrumentais... Mas parece que a melodia acompanhada não estava muito nas tendências da genialidade
inglesa não... Como ela se apresenta o seu artista mais
famoso, Henrique Purcell, porém a Inglaterra desaparece em seguida da música com interêsse histórico
universal.   Só nos nossos dias, com a volta a tendências mais polifônicas, a Inglaterra sente uma agi-
tação criadora de novo digna da atenção de todos nós.

Melodrama.
Alemanha.

Inglaterra.

Purcell com seus Hinos (*Anthems*), músicas de cena
e óperas, apresenta uma invenção musical tão clara,
tão bem ordenada e pura, que o compararam a Mozart.
O teatro dêle funde influências itálicas e francesas.

**França.**
Não tem dúvida que o exemplo do melodrama
italiano contribuiu para a implantação do melodrama
em França, onde desde 1643, graças ao cardeal Mazza-
rino, París aplaudia cantores e óperas italianos ("Orfeu" de Luiz Rossi), mas é lícito imaginar que os
franceses haviam de criar fatalmente o seu teatro
cantado, mesmo sem a existência do itálico. Pode-
se dizer que a influência estrangeira serviu apenas
pra consolidar nos franceses a forma de teatro cantado que êles estavam atingindo pelos caminhos simultâneos das Árias de Côrte e do Bailado. E com
efeito, Carlos Nef observa que aos franceses repug-
nou no princípio o recitativo florentino. É que a
solução de melodia acompanhada a que já tinham
atingido com as Árias de Côrte, principalmente de
Guesdron e Boesset, provindas das músicas "medidas
à antiga" e do trovadorismo, estava impregnada de
espírito nacional. Por outro lado o *Ballet* (Bailado), nascido das preocupações helenisticizantes de
unir canto, poesia e dansa, por influência de Baif e
companheiros, era indispensável nas festas cortesãs,
dotado de entrechos dramático e música vocal. E estava tão nacionalizado em França (séc. XVI...) que
Rinuccini imita o *ballet* francês, em Florença, com o
"Baile das Ingratas". Ora as "comédias francesas em
música" tentadas pelo poeta Perrin com música de
Cambert, já aparecem perfeitamente nacionalizadas,
cantadas em francês e realizando estèticamente a fusão da Ária de Côrte com o Bailado.

Perrin e Cambert escreveram a "Pomona" para inaugurar a Academia Real de Música (1671). João Batista Lulli, florentino de nascença, educado em França, apodera-se logo da direção dêsse teatro (até hoje existente, a Ópera de París) e principia compondo melodramas e mais melodramas dentro do estrito caráter musical francês. Assim como o piemontês Baltagerini (Baltasar de Beaujoyeulx) se acomodara com as formas e tendências francesas pra compor, em 1581, o "Bailado Cómico da Rainha", também Lulli, inspirado pelos admiráveis libretos de Quinalt, escreve suas tragédias, recheadas de dansas à francesa, com recitativos saídos diretamente das árias de côrte. Emprega também freqüentemente coros, de pouco uso então no melodrama itálico, e cria a forma da Abertura francesa (Lento, Alegro, Lento). Pelo cuidado com a declamação, o gôsto pelas formas nobres, amaneiradamente solenes às vezes, a expressão, a discrição bem monótona, êle se mostra dentro do mais étnico espírito musical francês.

Seguem-no outros artistas menores, tradicionalizando a orientação de Lulli que, só bem dentro do século seguinte, Rameau genializará.

A grande importância social da música seiscentista foi efetivar definitivamente o nacionalismo musical. Não tem dúvida que desde o aparecimento da música profana, a base popular de que esta se formava, já conseguia distinguir as obras em caracteres étnicos gerais. Porém êstes caracteres inda apareciam bem vagos pelo contraste natural entre o expressivo musical anônimo e geral que o povo cria e a intenção de expressar particularizadamente e individualmente, que impulsiona o artista erudito. Desde muito venho mostrando a luta dos artistas em busca

*Lulli.*

*Nacionalismo musical.*

da expressão musical. Pouco a pouco êles a foram acentuando com pesquisas lentas, conquistas pequenas, que a técnica e a tradição polifônicas tornavam pouco eficientes, apagadas. Isso era natural. A polifonia tem um conceito coletivo. A expressão sentimental, derivando diretamente do Eu, é individualista como criação e solista como manifestação. Havia por um contraste tamanho de ideais e manifestação entre o *individualismo* da expressão sentimental e o *coletivismo* da polifonia, que aquela não pôde se desenvolver. Criado o conceito de harmonia e manifestado êle na melodia acompanhada, logo se definem com facilidade os elementos gerais da expressão sentimental.

E como cada indivíduo, antes de sentir como indivíduo, sente como homem duma fase histórica e duma raça, a expressão musical dos artistas principiou definindo caracteres coletivos, que não eram mais universais, mas raciais e nacionais.

Além disso a canção popular, quando empregada dentro da polifonia, perdia seus caracteres nacionais, que ficavam confundidos na ambiência profusa das melodias simultâneas. Agora, isolada num solo que as harmonias apenas acompanham, ela mostra a fatalidade racial que a criou e a tornou anônima e de todos. E assim a harmonia muito mais vaga e desraçada, muito mais universal que a polifonia, teve essa propriedade contraditória de pôr em relevo as nacionalidades. Começam claramente se distinguindo as três grandes escolas musicais italiana, francesa e alemã, já dotadas de suas principais qualidades e cacoetes. E irão se conservando assim, em progresso nacional cada vez mais acentuado até explodir por tôdas as nações, no séc. XIX, a fúria nacionalista da música de hoje.

# Capítulo VII

# POLIFONIA PROTESTANTE

Do início do séc. XIV, quando os trovadores germânicos já estavam rareando, se tem notícia duma Corporação musical fundada em Mogúncia pelo *Minnesaenger* Henrique de Meissen. Em sociedade dêsse gênero é que a música foi cultivada nas classes proletárias e burguesas alemãs, durante os séculos XIV e XV. Corporações um bocado pedantes, usando para compor música normas curiosas que nos parecem ridicularmente estreitas nos tempos de agora, os seus compositores, em vez de se chamarem Cantadores de Amor, que-nem na época anterior, se chamaram de Mestres Cantores (*Meistersinger*). Um dêstes se celebrizou especialmente, Hans Sachs (séc. XVI), duma fecundidade prodigiosa. O mérito enorme dos mestres cantores foi, pela função popular que tiveram, generalizar a música nacional e torná-la tão íntima no povo germânico, que o canto social ficou como uma das manifestações intuïtivas da raça.

O séc. XVI tem uma função decisiva no estabelecimento da música germânica. Lutero inicia a Reforma. O espírito alemão se afasta do Catolicismo, e isso vai ter conseqüências importantes para a música, entre as quais a criação do Coral Protestante.

E é só realmente com o Protestantismo que os compositores germânicos tomam uma orientação uni-

**Mestres Cantores.**

**Lied.**

da. Antes dêle só se vê figuras isoladas que-nem Adão de Fulda, Senfl e Hofheimer, todos compositores de *Lieder*. Finck e Henrique Isaak deram origem na Polonia a um movimento importante de polifonia religiosa. O Lied toma logo uma diretriz que o distingue da Canção francesa. Se conserva eminentemente popularesco. E nêle se afirmava aquêle espírito religioso mitológico, aquela propensão para a religiosidade cheia de profundezas místicas que é um dos caracteres dos alemães e da música nacional dêles. Nas festas e datas importantes da religião, a canção popular (*Volkslied*) dominava, em língua vulgar, muitas vezes discrepando ingênuamente do espírito católico legítimo. Destas canções, repudiadas pela Igreja Católica até como heréticas, é que Lutero vai tirar o Coral da religião reformada. Se compreende fàcilmente o prestígio que a Reforma adquiria no sentimento dum povo que escutava as suas cantigas servindo no ofício religioso. Concenius escreveu que os cantos luteranos tinham atraído mais gente para a Reforma que os próprios sermões e escritos de Lutero.

**Coral Protestante.**

Ora, já no fim do séc. XVI, as cantigas de proveniência popular vinham sendo tratadas polifônicamente na Alemanha. Assim faziam os compositores que citei atrás. Lutero chegando (1517), melómano apaixonado, instrumentista e até compositor, trata logo de introduzir a música na Igreja dêle. Se auxilia do amigo João Walter, dos conselhos de Senfl e, compondo êle mesmo alguns cantos religiosos, como talvez o celebérrimo "Ein feste Burg"..., cria o Coral Protestante (¹⁷). Êste adquiriu, com Oziander, uma estru-

---

(17) Êste canto será provàvelmente de Hans Sachs.

LVI        *Viola*

"Viola" — Gravura em cobre de Sparigioni-Sintes, inserta no "Gabinetto Armonico" do padre Bonanni, 1723.
Col. M. de A.

LXVII       *Violino*

O Violino — Gravura em cobre de Sparigioni-Sintes, inserta no
"Gabinetto Armonico" do padre Bonanni — Col. M. de A.

Tintoretto — Concêrto (música instrumental do séc. XVI) — Pinacoteca de Dresde

O Concêrto dos Macacos (séc. XVIII) — gravura de Pool.

tura polifônica nota contra nota, mais fácil da gente
cantar e compreender o texto, ao mesmo tempo que a
melodia principal tomava o seu papel dominador,
com ser atribuída à voz mais aguda. Normas que
coincidiam com as práticas francesas e itálicas de
então. Desde êsse tempo os melhores músicos germânicos vão ter o lugar de *Kantor* (Mestre de Capela) nas igrejas do culto protestante. E o Coral
vai se desenvolvendo nas mãos de Calvisius, João
Eccard, Jacó Gallus, Miguel Praetorius e Hans Leo
Hasler, êste já mui tocado de madrigalismo ve-
neziano.

Fixadas as formas e os caracteres essenciais da
musicalidade religiosa germânica, aberto o séc. XVII,
a música alemã se precipita sôbre João Sebastião
Bach. É talvez o movimento mais impetuoso e mais
dramático de tôda a história musical. Aparecem por
tôda Germânia músicos interessantíssimos, alguns
mesmo dotados de grande valor como Henrique
Schuetz e Buztehude, cujas criações já possuem valor
artístico permanente e universal. Tudo em vão. É
em vão que os historiadores e críticos chamam a atenção do mundo para as obras dêsses artistas. Em vão
que êles sejam fixadores de formas. A música germânica se precipita sôbre Bach. A personalidade de
Bach é mesmo tão fascinante que, por momentos, a
gente se deixa levar por êsse esplendor genialíssimo e
meio que concebe que a polifonia não tem sinão essa
razão de ser: produzir a obra de Bach. E todos êsses
músicos alemães católicos e principalmente protestan-
tes, que vivem e produzem desde os fins do séc. XVI,
a-pesar-do valor individual que possam ter, a-pesar-de
apresentarem já o que constitue a música de Bach...
menos o próprio Bach, João Sebastião os resume a

João Sebas-
tião Bach
Grandeza.

todos. São que-nem as plantas boiando, as aves voando que anunciam aos navios do mar a aproximação de terra. Possuem os elementos da terra porém ainda não são ela mesma. João Sebastião Bach é essa terra final.

**Anacronismo.**

João Sebastião Bach ainda mantém na história da música uma posição curiosa. É um anacrónico. Tôda a obra dêle se coloca no séc. XVIII, fase do Classicismo musical, abertura do instrumentalismo sinfônico, domínio absoluto da melodia acompanhada da música vocal, expressão máxima da Música Pura. Bach não é nada disso. Si emprega orquestras nas suas Paixões, o conjunto orquestral solista não possue para êle grande atrativo; e si escreve solos, tocatas, prelúdios, fantasias, suítes, pra instrumentos polifônicos que-nem o órgão e o cravo ou mesmo solistas quais violino e flauta, a escritura inda é sempre polifônica. Mesmo nas suas peças para solo vocal ou instrumental, o emprêgo da melodia acompanhada é quase que só uma aparência. O conceito dessas obras é fundamentalmente polifônico. E por vezes a escritura delas é tão cerrada que elas funcionam feito as antigas transcrições pra alaúde ou clavicórdio, em que as partes da polifonia vocal eram transportadas para o instrumento acompanhante, deixando apenas a parte do *Superius* para o cantor solista. Também de "clássico", no sentido estético dessa palavra, João Sebastião Bach não tem nada. Não possue o senso da música decorativa, nem mesmo aquela paixão pela arquitetura sonora que estava criando no tempo as formas vocais e instrumentais mais perfeitas da Música Pura, a Ária e a Sonata. Não possue do Classicismo aquêle conceito da música de elite refinada e até palaciana, pelo qual os clássicos musicais serão,

na melhor expressão do séc. XVIII, verdadeiras flo-
res de salão. Ora Bach é intimamente popularesco.
Na sua polifonia vocal a simplicidade, a, por assim
dizer, ingenuidade no tratamento das vozes corais, é
preestabelecida como critério de construção. E Bach
realiza essa simplicidade coral com uma técnica absolutamente perfeita, de naturalidade e refinamento
tamanhos, que parece inconcebível as cantatas, motetes, corais dêle serem do mesmo erudito que nas
obras instrumentais e na maravilhosa Missa católica
em Si Menor, elevara a polifonia imitativa ao esplendor supremo. Principalmente, ainda, a música de
Bach não se prende ao Classicismo, por ser essencialmente religiosa, não só pelo seu espírito congrega-
cional (a que não escapam mesmo as peças para
instrumentos profanos), como pela base de inspiração. E a religiosidade básica da música dêle é
bem alemã. Uma certa rudeza característica, uma
ortodoxia severa a envolve tôda; uma ingenuïdade
mansa, muito cordata, virginal, se manifesta tècnicamente por aquêle jeito um pouco desajeitado de
tratar as vozes, que seria depois perpetuado na técnica alemã pelo estabanamento vocal de Beethoven
e pelo canto sinfonizado de Wagner e de Strauss
principalmente.

Porém se não foi um "clássico" no sentido histórico nem estético da palavra: tendo fundido como
ninguém a musicalidade genial com uma ciência
técnica incomensurável, João Sebastião Bach se tornou o Clássico por excelência. O homem que a
gente estuda nas classes...

Dentro da polifonia, com exceção de Palestrina
para o côro-a-capela, ninguém não compreendeu
como êle os caracteres polifônicos distintos do coral

Dualismo
Polifônico¡

e do instrumento. Ao mesmo tempo que humanizou o côro vocal, tratando-o com simplicidade sapiente, surpreendeu o elemento mecânico do instrumento, tecnizou-o com virtuosidade incomparável de polifonia, levando respectivamente a Cantata religiosa e a forma da Fuga à mais alta expressão de técnica e musicalidade. A obra de João Sebastião Bach é resultante de todo o passado coral liederesco alemão e polifônico universal. João Sebastião Bach é a síntese de seis séculos musicais.

**Celebridade histórica.**

Era anacrônico porém, e o valor musical dele passou despercebido dos seus contemporâneos. Apreciaram o organista e o cravista virtuose, mas no geral as obras do *Kantor* da Igreja de São Tomaz (Leipzig) eram consideradas cacetes. Só um século depois, Mendelssohn pôs em luz as obras do morto insuspeitado, e executou na própria Leipzig (1829) a "Paixão segundo São Mateus". Desde então o valor de Bach principiou se afirmando na conciência humana. E está crescendo sempre. E cresce ainda nos tempos de agora, em que a revisão da genialidade humana tem diminuído tantas grandezas...

**Temperamento Igual.**

A principal contribuïção histórica de Bach foi ter auxiliado grandemente, com o " Cravo bem Temperado" a aceitação de Temperamento Igual. A Modalidade primitiva, essencialmente monódica, bem como a polifonia modal para vozes humanas, podiam empregar com facilidade o Temperamento Desigual, no qual obtinha os doze sons da Oitava cromática por intermédio da série das quintas naturais, determinadas pela acústica. Ora os intervalos de Tom da escala assim obtida pela série das quintas naturais, não eram iguais entre si. Na Modalidade antiga isso não tinha inconveniente nenhum porque

de cada grau do sistema natural se originava um
Modo isolado a que essas diferenças de intervalo
entre Tons ou entre Semitons, inda acentuavam mais
o aspecto individual. Porém para a harmonia isso
tinha um inconveniente gravíssimo: uma Tríade Tonal na base de Do já não era exatamente a mesma
se estava na base de Ré, porque as têrças do acorde
Do-Mi-Sol não eram estritamente as mesmas do acorde
Ré-Fá sustenido-Lá. Ora a concepção harmônica
obrigara a fixar uma escala única de que o Do
Maior era o tipo, fundamentada nas *relações de
fusão dos intervalos harmônicos* e não mais fundamentada nas *relações de continuïdade dos intervalos melódicos*. Essa Escala-Tipo, chamada Tonalidade, podia variar de elevação, porém não podia
variar de fisionomia sonora, isto é: era invariável
na disposição de Tons e Semitons, pra que os acordes
estabelecidos sôbre ela fôssem sempre os mesmos
e tivessem portanto o mesmo método de concatenação de fusões que é função de harmonia. Ora
si os intervalos de Tom não tinham a mesma distância entre si, a transposição da Tonalidade dum
grau para outro resultava numa verdadeira mudança
de fisionomia, numa quase mudança de Modo. Êsse
inconveniente enorme era agravado ainda pelos instrumentos de som fixo, os quais pela exigüidade
da mão humana, pra que esta alcançasse a Oitava,
eram obrigados a dar uma tecla só para os Sons
Enharmônicos (por exemplo: Do sustenido e Ré
bemol), sons êstes que na obtenção dos sons naturais não eram estritamente idênticos. Inventaram
pois, pra sanar tanto inconveniente, "temperar" a
série das Quintas, isto é, desafinar um bocadinho
cada Quinta natural, de forma que a última da

série coincidisse exatamente, em afinação, com a primeira. Dêsse jeito, todos os intervalos de Semitom, da Escala Cromática, tinham distância sonora igual entre si, e da mesma forma ficavam com distância igual todos os intervalos de Tom da Escala Diatônica. Essa desafinação mínima das quintas, imperceptível na audição, dava o Temperamento Igual, cuja teoria foi estabelecida (1691) por André Werchmeister. Uns se batiam pelo Temperamento Igual; outros não podiam se conformar com essa pseudo-desafinação, que era quase apenas teórica, afinal das contas. João Sebastião Bach, partidário do Temperamento Igual, escreveu então o "Cravo bem Temperado", essa famosa coletânea de prelúdios e fugas, a qual, ao mesmo tempo que era um monumento de musicalidade e de ciência contrapontística, mostrava definitivamente, pelo emprêgo das Tonalidades absolutamente idênticas na fisionomia e pela riqueza que isso trazia à Modulação, conveniência do processo novo. Considera-se o "Cravo bem Temperado" ([18]) como o ponto de partida da adoção do Temperamento Igual, usado até agora.

---

(18) Cumpre notar que assim se tem traduzido universalmente o título do livro de Bach, talvez sem perfeição. Bach escreveu a palavra *Klavier* ("Wohltem periertes Klavier") que então designava na Alemanha, genèricamente, qualquer instrumento de corda e tecla. Não apenas o cravo.

# Capítulo VIII

# MÚSICA INSTRUMENTAL

Os instrumentos no geral custaram muito a se Voz e Instrumento. desenvolver, porque a precisão de tornar intelectualmente compreensível a música, obrigaram a uma prática sistemàticamente vocal. E a manifestação erudita mais pura dessa prática vocal foi o Côro--a-Capela, a que Palestrina deu a solução histórica mais perfeita.

Os instrumentos viviam na companhia do povo que, pela própria ausência de virtuosidade vocal, era obrigado a se acompanhar de instrumentos que batessem o ritmo e sustentassem o som cantado. Os cantadores populares se utilizaram sempre de instrumentos acompanhantes.

Na música artística do Cristianismo, o primeiro Órgão. instrumento que atingiu utilização histórica foi o Órgão, desde início da Idade Média generalizado nas igrejas católicas. O costume de transcrever para órgãos as peças vocais polifônicas foi mui provàvelmente o que evidenciou a possibilidade de inventar diretamente músicas para êsse instrumento. No tratado mais antigo que se possue sôbre música de órgão, o *"Fundamentum Organisandi"* (1552) de Conrado Paumann, já aparecem (ao lado de Transcrições de polifonia vocal e música popular) peças pequenas, os Preâmbulos, escritos diretamente para o instrumento e destinados a anteceder ou separar as peças vocais das cerimônias religiosas. Do século seguinte já possuímos obras pra órgãos mais livres dessa função. Nos meados do século estava em uso na Itália o *Ricercar*, peça polifônica em estilo de cânone, primeira manifestação da Fuga instrumental.

**Instrumentos profanos.**

Os instrumentos profanos que a-pesar-de renegados pelos padres, parece que sempre freqüentaram o côro das igrejas mais pobres (o Organistrum, a Viela...), já são mencionados artìsticamente desde o século IX. Dois séculos mais tarde, instrumentos de cordas como a Rota ou *Chrota*, a Viela ou Viola e a Trombeta Marinha, assim como, de sôpro a Corneta, o Trombone, a Trombeta diatônica, eram de uso geral. Nos países germânicos e na França, os tocadores dêsses instrumentos se organizaram mesmo nas Corporações já mencionadas (séc. XIII), que tinham por fim principal defender os direitos dos associados. Na península itálica não careceram disso porque ninguém os rebaixava. Eram reconhecidos como "gente", possuíam praças onde era permitido cantar e tocar à vontade. Os governos das cidades, primeiramente nas terras germânicas e depois por tôda a parte, sustentavam mesmo pequenos grupos de instrumentistas, destinados ao cerimonial civil.

**Alaúde.**

O primeiro instrumento profano que adquiriu uma prática deveras artística foi o Alaúde (séc. XV), forma européia da Viela de origem árabe, generalizada na Espanha desde a ocupação mourisca. O Alaúde, depois que os viuelistas espanhóis lhe desenvolveram a técnica, reinou durante o séc. XVI em Transcrições, Cantigas e especialmente Dansas.

**Clavicórdios e Clavicímbalos.**

E é só neste século XVI que principiam aparecendo como de uso geral, os instrumentos profanos de teclado, que viriam a dar no "Clavicímbalo com

piano e forte" (1711), o Piano atual construído por
Bartolomeu Cristófori, com emprêgo de martelinhos
pra percutir as cordas. Essa fôra aliás a primeira
fórmula de construção dum instrumento primitivo e
pobrinho, o Santir asiático, em que as cordas eram
percutidas com macêtes de pau. Trazido para a
Europa na bagagem dos Cruzados, sofreu tôda sorte
de evoluções, até parar no Clavicórdio, também fundado no princípio de percussão por intermédio de
alavancas de pau ou metal. A-pesar-de apreciado e
perdurado até Cristófori dar pra êle o desenvolvimento prático definitivo, o claricórdio foi dominado
por outro gênero de instrumento de corda e teclado
que, saído dêle, era dum princípio diferente. Em
vez da percussão, empregava a dedilhação, obtida
por intermédio duma lâmina vertical de pau, a que
atravessava uma pena de ave. A lâmina se movia ao
lado da corda e a pena, encontrando esta, a dedi-
lhava. Êste princípio foi o do Virginal e do Cravo,
que dominaram a música do teclado nos sécs. XVII
e XVIII. O virginal se desenvolveu principalmente
na Inglaterra, o cravo no continente europeu.

Os instrumentos de arco vindos, já no continente, da Rota, da Rebeca, de Trobeta Marinha
e principalmente da Viola, não tiveram sinão no
séc. XVII uma primeira liberdade solista. Já nesse
tempo a Viola principiava a ser desbancada pelo
"Violino", nome que deu-se então a todo e qualquer instrumento empregando arco sôbre corda (Violino, Viola, Violoncelo, Contrabaixo atuais). Postos
em foco por terem se tornado sustentadores da melodia vocal nas obras melodramáticas, os instrumentos de arco, já com Monteverdi, tinham assumido
na orquestra dos melodramas um papel individual

Os arcos.

que não tardou a se tornar preponderante. Preponderância que durou inalterável até o Impressionismo (... séc. XX), e que só depois da primeira década do século nosso vai desaparecendo. Hoje, a crueza dos ideais da época, o espevitamento rítmico da música, está abalando sèriamente a supremacia que por dois séculos os instrumentos de arco exerceram na música orquestral.

A construção, a técnica e o caráter dos instrumentos de arco foram desenvolvidos e especificados pelos itálicos. Gaspar da Saló, a família Amati, a família Guarnieri e o célebre António Stradivário, construtores de instrumentos de arco de perfeição inda famosa (instrumentos que hoje, mais por preconceito tradicional, atingem preços ridículos) ([19]), foram os desenvolvedores universais da fórmula do instrumento no séc. XVII. E na segunda metade dêsse mesmo século, viveu João Batista Vitali, o primeiro sistematizador importante do solo de violino.

Sôpro.

Quanto aos instrumentos de sôpro, alguns préhistóricos como a flauta e a trombeta, no geral se conservaram dentro da orquestra. Já no séc. XVII as famílias de flautas transversais, os fagotes, as trompas, os trompetes, os cornetins e trombones estavam em uso.

Instrumentos polifônicos e melódicos.

São chamados de "instrumentos polifônicos" aquêles que empregam sistemàticamente sons simultâneos. Os tipos são: o Órgão (vento), o Cravo e o Alaúde (corda dedilhada), o Piano (corda percutida). São chamados de "instrumentos melódicos"

(19) Em freqüentes concursos contemporâneos, feitos com a máxima garantia de honestidade, entre violinos antigos e modernos, êstes conseguem vencer...

os que empregam sistemàticamente sons consecutivos: a Flauta (vento), o Violino (corda esfregada).

A floração instrumental solista principia no séc. XVII. É com êste século que se desenvolvem a técnica e as formas principais da música instrumental.

Os instrumentos polifônicos, cujo emprêgo artístico proviera, como já falei, principalmente da precisão de transcrever obras corais pra um instrumento só, de maneira que essas obras pudessem ter execução individual e familiar, tiveram primeiramente u'a manifestação de conceito estritamente polifônico que se concretizou na forma da Fuga. O melhor e mais fatal progresso de especificar bem na construção sonora, o individualismo, a igualdade de importância das diversas vozes da polifonia, era atribuir a tôdas elas, em ocasiões diferentes, a mesma melodia. Porque assim esta, indivíduo básico e principal da polifonia, estando ora numa, ora noutra voz do conjunto, atribuía a tôdas a mesma função de base e a mesma posição de preponderância que a melodia tinha. Si tôdas as vozes eram preponderantes, está claro que tôdas ficavam iguais em importância.

Êste princípio básico da polifonia pròpriamente dita, não existia exatamente nas polifonias primitivas (órgano, falsobordão, discante nota contra nota), porque nelas o Canto-Firme estava atribuído exclusivamente à voz Tenor, e as outras vozes paralelísticas (órgano e falsobordão) ou sistemàticamente contrariantes (discante), mantinham pra com a voz Tenor uma submissão servil.

O princípio da polifonia pròpriamente dita, no qual as diversas melodias concordantes, se manti-

*Evolução da forma polifônica instrumental.*

*Princípio básico de Polifonia.*

*Órgano e Cânone.*

nham independentes e em pé de igualdade, estava no
cânone, em que a melodia principal, passando por
tôdas as vozes, individualizava e igualava tôdas.

**Luta entre
Modo e To-
nalidade.**

O cânone aplicado às vozes, e tendo como forma mais perfeita a Missa a Capela, podia se conservar modal, se servindo dos Tons da Igreja e do
Temperamento Desigual antigo. Mas passando para
os instrumentos polifônicos, já não podia conservar
o mesmo emprêgo da modalidade eclesiástica, porque êsses instrumentos possuindo afinação fixa, não
se prestavam pra transposições de modos. De mais
a mais a harmonia, pelo próprio convite dos instrumentos polifônicos, infiltrando cada vez mais as
exigências dela na polifonia, tornava necessário,
mesmo imprescindível, a substituição do modo pela
tonalidade na polifonia instrumental.

**Tentativas
Séc. XVII.**

Para música polifônica instrumental, o século
XVII é o período de transição, confuso, em que
modo e tonalidade se combatem e baralham, a-pe-
sar-da predominância desta. As formas de então,
o Ricercar, a Tocata, a Fantasia, a Canção, o Capricho, se determinam mais pela intenção psicológica que as denomina, que pela arquitetura. Nesse
período é que brilham compositores virtuosos de
valor excepcional: um remanescente da escola flamenga, João Pedro Sweelinck, iniciador de organistas germânicos; Jerónimo Frescobaldi, o maior
organista italiano de todos os tempos; Dietrich Bux-
tehude, que já traz acentos de João Sebastião Bach
na obra dêle. Os dois primeiros já empregam também a forma da Variação.

**Fuga Tonal.**

Enfim, no séc. XVII, a música polifônica pra
instrumento encontra a sua forma perfeita com a
Fuga tonal, de João Sebastião Bach. A palavra
"Fuga" parece ter surgido (séc. XIV) com sentido

metafórico pra indicar um cânone, isto é, uma composição em que o Tema, iniciado sucessivamente nas diversas vozes, parece *fugir* de si mesmo. Essa etimologia é discutida atualmente e depende de revisão. A palavra se manteve em uso, designando através dos tempos, obras em estilo canônico sem plano fixo. No séc. XVII, as fugas se confundem com as outras formas de polifonia instrumentais até que, no fim do século, organistas e cravistas a sistematizam numa forma fixa, de que a Fuga Tonal é o protótipo. Já agora se trata duma composição com um Tema só, curto, seguido do Contratema, enunciado sucessivamente pelas diversas vozes, conforme um plano tonal em que a Exposição se dá na Tonalidade principal, a Resposta se dá na Tonalidade da dominante, e, por modulações pelos Tons Vizinhos, o Tema, pra acabar, reafirma a concepção básica dêle, aparecendo pela última vez na Tonalidade principal. As exposições temáticas podem ser ligadas por Divertimentos ou Episódios, cujos elementos são tirados do Tema e do Contratema. Ao terminar da Fuga aparece o Estreto, instante em que se *estreita* o tempo de aparecimento do tema nas diversas vozes.

A Fuga foi a anunciadora-mor do formalismo clássico. Afirmou definitivamente o plano modulatório cadencial da tonalidade (tônica, dominante, subdominante), e a construção bitemática (tema, contratema), que seriam as bases harmônica e rítmico-melódica dos clássicos, e haviam de perdurar mesmo durante o Romantismo. João Sebastião Bach elevou a fuga ao mais alto grau de musicalidade (Fugas pra órgão, "Arte da Fuga", "Cravo bem Temperado").

Na música dos instrumentos profanos de teclado brilharam, no séc. XVII, principalmente os

Outras formas.

cravistas. Foram êles que desenvolveram as formas da Variação, da Suíte e da Tocata.

**Variação.**     A Variação fôra já aplicada instrumentalmente pelos virginalistas. Agora o emprêgo dela vai sendo sistematizado, principalmente no tratar a Canção, sôbre melodias populares. O princípio da variação consite em repetir uma melodia dada, mudando, a cada repetição, um ou mais elementos constitutivos dela, de forma que, apresentando uma fisionomia nova, ela permaneça sempre reconhecível na sua personalidade. É mesmo só no séc. XVIII que a variação se apresenta firmemente fixa nesse princípio de mudança de fisionomia e conservação de personalidade. No geral os músicos dos séculos anteriores se limitavam a variar, enriquecendo com enfeites a melodia, em vez de modificar a forma dum dos elementos dela (ritmo, tonalidade, harmonização, arabesco). Naquela constituïção primitva, já no séc. XVII, a variação apresenta exemplos ótimos nas obras de Samuel Scheidt e Frescobaldi.

**Suíte.**     A Suíte é antiquíssima e a gente encontra a base dela na música popular. É muito comum, no povo, a união de peças musicais distintas, tôdas de caráter coreográfico, para formar obras complexas e maiores. Os Fandangos, do sul paulista, os Cateretês, do centro brasileiro, os Cabocolinhos nordestinos sáo, no Brasil, formas populares primárias da suíte. Na Europa os compositores se acostumaram desde muito cedo a unir dansas aos pares — o que também é costume popular. A Pavana e a Galharda eram um dêsses pares, e se tocavam juntas. Da mesma forma a Gavota e a Museta viviam geralmente ajuntadas, e logo se generalizou o costume de unir dois Minuetes, o segundo com o título de Trio. No séc. XVI a suíte para pequenos conjuntos

instrumentais principia sendo sistematizada nos países germânicos, e no século seguinte já é comum
por lá. Quem parece ter aplicado pela primeira
vez a suíte pra instrumento polifônico solista, foi
o virtuose francês Chapion de Chambonnières, fixando a base da Suíte Francesa (Alemanda, Corrente, Sarabanda e Giga).

Na Itália aparecia a forma da Tocata, genuìna- **Tocata.**
mente italiana, da mesma forma que a Suíte era
bem alemã. Ao passo que os germânicos estavam
desde já demonstrando a tendência ordenadora dêles,
que criaria as grandes formas de arquitetura fixa
(Fuga, Suíte, Sonata, Sinfonia), os itálicos davam
largas à índole sensual, fantasista e mais inventiva
da raça, criando formas de arquitetura livre (Recitativo, Ricercar, Tocata). Sem dúvida uma determinação destas não tem nada de dogmática. Os
italianos inventaram também formas fixas que-nem
a Ária... Mas a Tocata e a Suíte "são noções
contraditórias: uma, a italiana, improvisatória, fantasista, implica o conceito de liberdade rítmica; ao
passo que a germânica é uma série de dansas com
ritmos determinados". É ainda João Sebastião Bach
quem vai dar a musicalidade suprema para a forma
da Suíte (Suítes Francesas e Inglesas).

Ao lado dessas formas de música *essencialmente* **Peça Carac-**
*musical,* aquela antiga obrigação de compreender, **terística.**
que prendera tanto a música à palavra pra que
aquela tivesse um sentido, perseverava ainda na
música instrumental, por meio da Peça Caracteris-
tica. É principalmente em França e na Alemanha
que êsse gênero de música se espalha em puerili-
dades descritivas, mais pueris que estèticamente pre-
judiciais. Usam por exemplo compor doze instru-

mentos pra descrever os doze Apóstolos. Jorge
Filipe Telemann se torna mais um... apóstolo da
música descritiva (*Tonmalerei* — Pintura sonora);
e o próprio Haydn não escapará da simbologia descritiva, quando pra significar a vontade que os músicos da orquestra tinham de partir de Sisenstadt
para Viena, escreveu a Sinfonia do Adeus, em que
os instrumentistas iam abandonando um por um a
orquestra, até que o regente, sem orquestra, ia-se
embora também. Na França, os cravistas engaiolam
na pauta a passarinhada. Na Itália o vício é mais
discreto e jamais não se tornou epidemia. Os itálicos estavam orientando a música para a melhor
significação dela, com as Tocatas e Sonatas.

Talvez nunca o antagonismo entre o pensamento intelectual e a música tenha se manifestado
tão patente como nas peças características dos séculos XVII e XVIII. Antes dessa fase, a música descritiva ou, por ser vocal, estava explicada imediatamente pela palavra como em Jannequin e Monteverdi
ou se limitava no geral a incursões tímidas na bulha da tempestade e nos pios e berros de aves e
animais. Com o Romantismo, que virá em seguida,
a explicação anteposta francamente às obras musicais, servirá pra explicá-las e pra sugestionar o
ouvinte. Agora não. Tudo tendia para a Música
Pura (20). As formas se fixaram. O instrumento,

---

(20) Também é costume chamarem de Música Pura as obras
exclusivamente instrumentais (R. Rolland). E' uma designação
técnica franca e bem visível, porém um bocado pueril. Nesta *Pequena História*, considero Música Pura a música que, não se ba-
seando diretamente em elementos descritivos, quer objetivos, quer
psicológicos, tira dos elementos exclusivamente dinamogênicos.
(Ritmo, Melodia, Harmonia) as suas razões de ser arte o ser bela.
E' um conceito vago, não tem dúvida, se prestando a contradições
e hesitações, porém é um valor crítico perfeitamente perceptível
aos que possuem musicalidade mais íntima. Entre uma página

José Haydn — Frontispício de Schubert-Schmidt para a transcrição para piano de "As Estações" — Col. M. de A.

Haendel — Aspectos dos fogos de artifício, comemorativos da paz de Aix-La-Chapelle (1749), para os quais Haendel compôs a sua "Fire-Music", para instrumentos de sôpro.

O Piano. — Pianoforte construído por Bartolomeu Cristófori em 1726. — Col. Heyer, Leipzig

indeciso se andar a Pirigi, o a Napoli — Vous criez d'un coté — les autres crient d'un autre! — Et moi? Moi je me berce dans les deux idées, car des affaires j'en ai partout. — Il mio Napoli l'emporterebbe, ma, ho troppo sofferto... Non ci pensiamo!

Gli Italiani quì, non sono fortunati quest'anno! Si perde... ma — per bacco! Come portar cantanti senza voce, debuttanti che non san di musica, e che non hanno mai calcato le scena, che saltano le 10 le 12 battute, persuasi d'aver cantato con iddei, o dee sse? E quei che gl'hanno accettati, cosa meritano

Saluta tutta la famiglia, gli Amici, divertiti, e lascia andare il mondo come viene.

il tuo [illegible]

Vienna 20. maggio

Caetano Donizetti — Autógrafo — Col. M. de A.

Wagner — Matilde Wesendonck, a inspiradora do "Tristão e Isolda". Desenho de Kietz — Col. P. M. Kuehrich, Los Angeles.

exclusivamente sonoro, se desenvolvia vastamente.
A orquestra solista aparecia. O próprio melodrama
ia ter, sob a orientação de Nápoles, uma significação exclusivamente musical. No meio dêsse espírito
tão estèticamente exato, os compositores de peças
características forcejam por *estragar* a Música Pura,
infiltrando intenções literárias nela. Mas não conseguem não. Êles mesmos estão imbuídos de música
pura, são mais *musicais* do que imaginam. E por
mais que se esforçassem por nos dar imagens sonoras do passarinho cuco, do moinho de vento, paï-
sagem e retratos psicológicos, nenhuma literatice foi
capaz de estragar o caráter estritamente musical das
obras dêles. Entre a "Galinha" de Rameau e a de
Ottorino Respighi, vai o abismo de diferenças que
está entre os sons da escala e as palavras do dicionário.

É em vão que artistas geniais como Francisco
Couperin "Le Grand", na França, João Kuhnau,
na Alemanha, Vivaldi na Itália, dignificaram a peça
característica. E o próprio João Sebastião Bach
compôs o "Capricho sôbre a Ausência do Mano
Querido"... O que valoriza os artistas, por mais
errados que andem, é a fatalidade do gênio. O que

---

que tècnicamente seria chamada de música pura, que-nem o "Carnaval" de Schumann, e uma Arieta de Pergolesi, aquela exclusivamente instrumental, esta dotada de palavras, a diferença é um
mundo: o "Carnaval" todo intelectualizado, cortado de mutações
intencionais que despertam a reflexão, evocam história, vida, costumes; abalado por efeitos profundos que se ligam diretamente às
acomodações que a vida fornece; ao passo que a Arieta é uma flor
livre, despertando na gente apenas efeitos musicais, vaga, desin-
telectual, comovente por ser Arte, por afetar exclusivamente o
campo da Beleza "musical" e jamais por afetar um elemento "literário", "pictório", do Bem ou da Verdade. E' pelo menos inútil
chamar de "música pura" à "música instrumental", pois que já
possuímos estas duas palavras inda mais imediatas e caracteriza-
doras. Mas dar para Música Pura um conceito estético, que-nem
está feito neste livro, é imprescindível, para chegar a uma compreensão mais total dos elementos históricos e estéticos da arte da
música.

admira e comove tôda a gente na obra dêsses grandes citados, e de outros gênios compositores de peças
características (Schumann, Mussorgski, Debussy,
Vila-Lôbos) não é o caráter descritivo, imitativo,
literário ou pictórico, das obras dêles, em vez é a
musicalidade formidável de que estão impregnadas.
Os gênios são homens que-nem nós mesmos. A...
diferença é que vão sempre além daquilo que pre-
tendem fazer. Cumprem um destino de Homem,
ao passo que nós cumprimos o destino da humanidade. Aliás essa é mesmo a parte *irritante* que os
gênios têm...

**Sonata pri-
mitiva.**

Kuhnau chamou de Sonatas as peças descritivas
que compôs... A palavra "Sonata", que vai ser
dada à mais perfeita de tôdas as formas instrumentais do Classicismo, foi inventada na península itálica. Vinha do verbo Tocar *(Sonare)* e designava
uma peça instrumental (... séc. XVII) tipo canção,
pra conjunto ("Sonata Pian e Forte" de João Gabrieli) ou pra solo instrumental. Mas sem forma
obrigada. Não a caracterizava, no espírito dos setecentistas itálicos, nem mesmo a seriação de andamentos diferentes, pois um dos maiores gênios do

**Domingos
Scarlatti.**

século, o cravista napolitano Domingos Scarlatti cha-
mará de Sonatas as obras dêle, no geral peças curtas,
numa parte só e andamento rápido, exigindo grande
virtuosidade. As sonatas de Domingos Scarlatti são
chuvaradas onde a graça, o espírito, a pererequice,
a alegria napolitanas, se fixaram imortalmente. No
séc. XVII, distinguiam a Sonata de Igreja, polifônica,
da Sonata de Câmara, que era uma verdadeira suíte.
O que desde logo diferençou a série de peças coreográficas da Sonata de Câmara, das dansas da
Suíte, é que naquela, em vez das partes trazerem

com título os nomes das dansas, que-nem na Suíte,
traziam só a indicação dos andamentos (Alegro,
Adágio, Alegro). E também continha menor número de partes, quatro ou três no geral.

Foi especialmente em sonatas que, sob a orientação bolonhesa, desenvolveu-se a literatura de violino. Os dois Vitalis, Bassani, Veracini, Torrelli,
preparam a figura genial de Arcanjo Corelli, melodista prodigioso, criador duma verdadeira forma
fixa de sonata, a qual teria que ceder diante da
solução alemã. Êsses compositores não empregam
apenas o solo de violino com acompanhamento de
baixo-contínuo. É comum nêles o emprêgo de dois
violinos e acompanhamento de cravo, ao qual às
vezes ainda ajuntam outra voz de arco, a viola. Se
pode ver nesse conjunto a gênese dos Trios de corda
e piano. Na segunda metade do séc. XVII, inda
aparece o Concêrto Grande *(Concerto Grosso)*, fórmula primitiva do Concêrto, coordenada por Corelli,
muito usada por Haendel, e consistindo primitivamente num número discricionário de instrumentos
de arco solistas, concertantes, acompanhados de instrumentos de sôpro. Depois dessa fórmula, é que
António Vivaldi concebe os seus Concertos, em que
já existe a sistematização dum solista único, enquanto
os demais instrumentos de arco e sôpro funcionam
como orquestra concertante.

Si é certo que, desde pelo menos o séc. XIV,
os instrumentos já eram empregados para acompanhar, nas obras de polifonia vocal, é só dos meados
do séc. XV que se tem notícia histórica de pequenos agrupamentos exclusivamente instrumentais aparecendo por tôda a parte, destinados à execução de
suítes.

*Violinistas Itálicos.*

*Agrupamentos Instrumentais.*

Êsses agrupamentos eram muito variados e dependiam das exigências locais: os artistas compunham conforme os instrumentos que tinham à mão. Êsse costume perdurou durante todo o séc. XVI e mesmo inda no seguinte. As obras pra conjunto não possuíam ainda um conceito *orquestral* verdadeiro. Não só às mais das vezes nem se determinava a parte de cada instrumento, como essas peças eram vazadas numa escritura ou de melodia acompanhada principalmente de acordes, ou de polifonia imitando diretamente os processos do côro vocal. As peças em que o emprêgo da melodia acompanhada era baseado numa escritura acordal, tomando o nome antigo das Consonâncias pitagóricas, eram chamadas de "Sinfonias", palavra que mais tarde vai designar a realização orquestral da forma de sonata.

**Orquestra.**     A orquestra, no sentido estético da palavra, só principia se firmando no séc. XVII. É então que, como já vimos, Monteverdi distingue a função individualista dos instrumentos do conjunto concertante. A família dos "violinos" vai gradativamente substituindo as violas, adquirindo aquela preponderância que terá na orquestra clássica. Formam orquestras exclusivamente de cordas, base do Quarteto clássico, que nem os franceses "24 Violinos do Rei", de que Lully foi chefe um tempo. A preocupação da sonoridade do conjunto já substituiu as idéias primárias de reforçamento, originalidade e brilhação. O inglês Tomaz Mace, por exemplo, no último quarto do século, recomenda certas combinações, pra que os violinos não sobrepujem o conjunto.

**Sinfonismo.**     No início do séc. XVIII, pràticamente o Sinfonismo é concebido. Já se está de posse duma orquestra verdadeira, isto é, um conjunto instrumental

em que os solistas concertantes foram substituídos
por grupos de instrumentos concertantes. Si o conjunto não é muito variado na sonoridade, nem muito
numeroso, e ainda bastante desequilibrado pelo ex-
cesso e timbração dos instrumentos de sôpro, nenhum acrescentamento posterior lhe modificará o
conceito instrumental de orquestra, já definitivo nas
obras de um Vivaldi ou de João Batista Sammartini,
cuja influência foi continental e ainda dos aus-
tríacos, franceses e alemães. Quanto aos processos
básicos de tratar sinfônicamente a orquestra, a te-
matização curta, o seccionamento dos elementos melódicos pelos naipes orquestrais, bem como a constituïção da forma da Sinfonia, grande número de
historiadores concorda hoje em atribuir a fixação de
tudo isso à chamada Escola de Mannheim.

Um despropósito de discussões, no geral pedantes e duma patriotice ridícula só têm contribuído
pra encher de mais escureza a verdade histórica
sôbre as origens da forma de Sonata e a aplicação
dela aos conjuntos de câmara (Trio, Quarteto, etc.)
e orquestral (Concerto, Sinfonia). O que parece
mais acertado é reconhecer que a música pra instrumentos melódicos solistas, a constituição do quarteto de arco, o conceito de sinfonismo, isto é, a união
dêsses instrumentos melódicos em conjunto com função já puramente orquestral, se desenvolveram na
Itália. Ao passo que os *processos formais* de escrever música orquestral, e a forma de Sonata se
desenvolveram na Alemanha sob o influxo da escola
de Mannheim. Guido Pannain diz bem: "Por que
a gente estar penando pra descobrir aqui na Itália
as bases estilísticas da forma sinfônica de Beethoven?
É uma pesquisa apaixonada que não honra à cul-

Sonata.
Clássica.

tura italiana. Sinfonia não é planta que semeada
na cabeça de Sammartini foi ramificar no coração
de Beethoven. As formas sinfônicas do séc. XVIII
itálico têm valor próprio. Mas o sinfonismo Haydn-
Beethoven é outra coisa porém. Deriva da conciência nacional germânica e duma base cultural
então desconhecida na Itália".

As livres cameratas itálicas tinham nos países
germânicos uma transposição mais militarizada como
organização. Uma delas era em Mannheim a orquestra do príncipe Carlos Teodoro, apaixonado de
música instrumental. Surgiu daí uma floração de
música sinfônica, cuja importância histórica é enorme. É pelos méritos dos sinfonistas de Mannheim,
especialmente o admirável João António Stamitz e
Francisco Xavier Richter, que se generalizaram os
processos técnicos e estéticos da música sinfônica,
e a adoção definitiva da forma clássica da sonata.

Estamos no segundo quarto do séc. XVIII. A
Itália, a Áustria e a França rivalizam no esplendor
de elites refinadíssimas, gente galante, nobre, chi-
que. É o período do sangue-azul. Jamais a "vida"
não se circunscrevera tanto às manifestações da nobreza, e os países mais psicològicamente burgueses
perdiam terreno, as Flandres, a Alemanha. Da mes-
Haendel.   ma forma com que Beethoven no fim do século
deixará Bohn por Viena, Haendel abandona agora
a Alemanha pela Inglaterra, e vai dar lá as frutas
maduras do gênio dêle, os Concertos Grandes, as
óperas, os oratórios.

Nascido no mesmo ano, contemporâneo de João
Sebastião Bach, Haendel não pudera achar na Alemanha o sentido da sua personalidade. Era diferen-
tíssimo de Bach. Vibrante, brilhante, mais teatral

que dramático, sensualíssimo grandioso, chegando
aos luxos da grandiosidade, descambando não raro
para a grandiloqüência. É o mais típico representante do Barroco em música. No "Messias" atingiu
a grandeza suprema das obras sem data e sem com-
paração.

Na Itália, na Áustria e na França, a música
artística é protegida e vive nos palácios e côrtes
reais. E também adquirira sangue-azul... O progresso instrumental fôra decisivo para a música.
Lhe refinara tanto o conceito estético que, mesmo
quando jungida às palavras, ela se preocupa com
a sua expressão própria, isto é, exclusivamente sonora, sem pretender sublinhar ou acentuar a expressão do texto a que está ligada. As formas novas
dessa música exclusivamente musical já foram determinadas. Só esperam que alguém as genialize.
Os genializadores delas já estão vivos e produzindo
mesmo. Música Pura, música livre, música musical. É a fase do Classicismo que se abriu.

# Capítulo IX

# CLASSICISMO

Função titular dos qualificativos históricos.

Todo seccionamento histórico da criação humana é mais ou menos arbitrário. As fases espirituais da humanidade se entrelaçam, e os títulos (Romantismo, Polifonismo, etc.) com que as designamos, nada têm de absoluto. São títulos genéricos, sem significação exclusiva e dogmática. O que é mais genèricamente "clássico" como função histórica, aparece em outras épocas também; e numa exposição pormenorizada do período clássico é possível verificar nêle muitos laivos românticos. Mozart foi criticado, no tempo dêle, como sendo expressivo por demais, prejudicando pela comoção a pureza da linha melódica! Lorenz, no livrinho interessante que escreveu sôbre o valor das gerações na História, levado pela mania evolucionista, pôde encontrar no *Hochetus*, forma medieval da polifonia coral, o princípio do seccionamento temático, que seria um dos elementos básicos da música instrumental do séc. XVII...

Conceito «clássico» da música.

Por tudo isso careço explicar um bocado o espírito musical a que qualificamos de "clássico".

No princípio da vida intelectual do homem, quando os sons produzidos pelo órgão vocal principiaram se distinguindo em sons orais e sons musicais, aquêles mais variados na silabação, êstes mais impressionantes na beleza: os sons orais se especificaram em valores intelectuais; os sons musicais se especificaram em valores corporais. Os sons orais criaram as palavras convencionais das linguagens, que a inteligência compreendia imediatamente. Os sons musicais criaram as melodias rítmicas que o corpo compreendia imediatamente. As palavras eram diretamente psicológicas. As melodias, os ritmos eram diretamente dinamogênicos, fisiológicos. A precisão de vencer no desconfôrto da natureza viva e na luta da espécie, obrigava o homem a carecer mais da inteligência então. Porque a inteligência compreendia e explicava as coisas. Por meio dela é que o homem se comunicava, se defendia. A palavra era a base da defesa e do progresso do homem primitivo. Tudo o que não estava intelectualizado por intermédio da palavra, deixava de funcionar diretamente e perceptìvelmente na vida dêle. A música era uma gostosura que êle sentia. Porém música exclusivamente sonora êle não compreendia porque ela não era intelectual, era só dinamogênica: ativava, regenerava, fortificava, repousava o corpo dêle. O homem sentia isso, mas não era capaz de *explicar* essa gostosura que a música lhe dava.

Largar dela não podia, porque a música lhe facilitava a existência e o encantava. Porém como êle não a compreendia, ela deixava de funcionar lògicamente na vida dêle. Por isso, o homem instintivamente a jungiu à palavra. Música com palavra, isso êle compreendia porque esta dava uma inteligibilidade para aquela. E assim foi até durante as grandes civilizações da Antiguidade, e a fase monódica do Cristianismo. E assim é, ainda agora, entre as tribos selvagens e as camadas populares dos povos civilizados. Porém com isso a música, na verdade, perdera imediatamente o melhor da essência dela: ser justamente de tôdas as artes, a única

que não se servia de elementos imediatamente intelectuais. Ora, se a Arte se caracteriza, entre as
manifestações humanas, justamente por ser uma libertação da vida prática, isto é, por ser imediatamente desnecessária: justamente a música é que podia chegar à expressão mais genuína, mais integral,
mais *pura* do conceito de Arte, pois que nem compreensível intelectualmente ela era. Arte Pura, por
excelência. Produzia comoções agradáveis, dinami-
zava o corpo, elevava e desprendia o espírito, não
dando nenhuma função ao ser, mais que a da percepção imediata e isolada do Belo artístico.

Com o movimento seiscentista, principalmente
o progresso da composição instrumental, a música
principiou se libertando das funções interessadas populares e eruditas, a que estivera ligada sempre.
No povo ela sempre funcionará interessadamente:
é cantiga de religião, é cantiga de trabalho, é derivativo de sexualidade, é dansa pra se dansar...
Nas elites estava sempre ligada a uma função de
condimento ritual de festa, principalmente das festas cultuais das religiões e dos governos. Ou então
se limitava a transpor eruditamente as mesmas funções que exercia nas classes populares. Agora ela
se liberta disso: e na música instrumental artística,
é dansa que ninguém dansa, canção que ninguém
canta, não tem palavras de amor ou de esporte:
é *música só para a gente escutar*. Essa liberdade
da música instrumental vai mesmo se refletir na
música cantada, e esta, com escola napolitana especialmente, e genialmente ainda na floração clássica vienense, limitará o mais possível o seu poder
descritivo, que lhe dá a aparência de comentar psicológica e objetivamente a significação dum texto,
pra conservar os seus caracteres e fôrças exclusiva-

mente sonoras. Galuppi (Veneza) definia a música
como "beleza, claridade e modulação boa"; e Mozart
falou que ela devia de exprimir o sentido dos textos,
porém, jamais tanto, a ponto de sacrificar a beleza
pela comoção.

Ora, diante dos caracteres essenciais de Arte
Pura e de Música expostos aqui, o título de Classicismo, eu o emprego pra significar a fase em que
a música, já liberta da pesquisa de formas novas,
de técnica, de estética, podendo pois se manifestar
livremente, teve o seu conceito identificado com o
de Arte Pura. Êsse período não dura um século.
E está cortado de manifestações que o contradizem.
O homem é por demais da terra pra que possa se
conservar num céu tamanho que-nem o da Arte
Pura. Por mais clássicos que sejam, na expressão
formal, um Gluck, um Durante, mesmo Rameau e
principalmente Beethoven, a obra dêles contradiz
por muitas partes o conceito de Classicismo que dei.
É sempre assim. Também no Romanticismo colocam e não sem justiça a Chopin um dos mais
essencialmente musicais dos músicos. Não é à-toa
que Chopin adorava Mozart...

Assim pois o séc. XVIII é o período clássico
da música. O que caracteriza o classicismo dêle é
ter atingido como nenhum outro período antes dêle,
a Música Pura, isto é: a música que não tem outra
significação mais do que ser música; que comove
em alegria ou tristeza pela boniteza das formas,
pela boniteza dos elementos sonoros, pela fôrça dinamogênica, pela perfeição da técnica e equilíbrio
do todo. Nos resta uma verificação importante a
fazer. O período clássico é o período mais fecundo
em compositores admiráveis. Mesmo quando a gente
se limita a estudar os compositores menores, espanta

a riqueza excepcional de qualidades musicais dêsses autores. O século XVIII é um tempo em que todo músico escrevia bem! Porém não é que tivesse mais músicos bons nessa época que entre os polifonistas do quinhentismo ou os monistas do séc. XIX romântico. O que faz essa gente do séc. XVIII parecer mais numerosa e excepcional, é ter o classicismo equilibrado, enfim o conceito estético da música com a realidade dos elementos sonoros e o efeito dêles no organismo humano. Não são os homens do século mais geniais que os dos outros séculos. A música é que se tornara mais perfeita e obrigava os compositores a uma maior perfeição. Ao passo que os preconceitos e falsificações estéticas da música romântica diminuem o valor, irregularizam muito a produção musical do séc. XIX; e os compositores menores do Romanticismo nos parecem, quando não insuportáveis, no geral destituídos de interêsse.

**Função ti-tética da Ópera Cómica.** É curioso notar que o drama musical, o melodrama, já então chamado de ópera por abreviação do subtítulo italiano *"opera in musica"*, *"opera scenica"*: o drama musical atingiu a melhor expressão de música pura por meio da Ópera Cómica *(Opera Buffa)*. Isso era natural. Por mais que a gente não queira, a tristura, a coisa que acaba mal, o reconto do sofrimento, levam o homem para os elementos interessados da vida. Esta vida é um sofrimento mesmo... Os que se preocupam em realizar a dor, dos sofrimentos humanos por meio do teatro musical, se tornam de uma comoção que fatalmente enternece, além da comoção exclusivamente artística. Arte Pura é exclusivamente êstase desinteressado, e por isso, é na descrição do prazer que ela se purifica mais. Além disso a própria contradição acentuada pela música, foi encontrar na ópra cómica uma solução de formulário e de forma dramática. Dizer "Eu te amo!", "Adeus!", "Como vai?", etc., em música, é sempre pelo menos... insatisfatório. Mas não o é na ópera cómica, porque êsse ridículo é mais um elemento de comicidade, mais um elemento de prazer. O que é contradição no drama musical, vira valor estético na comédia musical. Quanto mais prazer desinteressado, mais artístico é. A ópera cómica é a única solução estèticamente perfeita da arte dramático-musical. E quanto mais cómica, mais artística. E tanto a tendência para musicalizar a música era forte na primeira metade do séc. XVIII, que a comicidade sonora se transporta do teatro para o sinfonismo, penetra o campo da própria música orquestral, coisa de que se queixará em carta, Filipe Emanuel Bach, filho de João Sebastião.

Já na segunda metade do séc. XVII, a ópera cómica viera se desenvolvendo no sul da península itálica. Em Roma, o salão dos Barberini foi o foco dessa renovação, que abandonava os temas tristes pelos alegres, os assuntos gregos pelos da vida contemporânea. Parece que a primeira ópera cómica foi a "Quem sofre, espere!" (1639), texto do cardeal Rospigliosi, música de Vergílio Mazzocchi e Domingos Marazzoli, representada no palácio Barberini. Em Roma é que a Ópera Bufa se sustentou mais, assim mesmo sem grande constância, até que os napolitanos se apossaram dela, com Francisco Provenzale à frente.

*Início da Ópera Bufa*

Aluno de Provenzale, Alexandre Scarlatti é o animador da orientação napolitana. E é um dos espíritos mais elevados da música italiana. Polifonista consumado, melodista genial, colorido, expressivo.

*Alexandre Scarlatti.*

Tem isso de Beethoven que, feito êste, é uma figura
de transição, não só de dois séculos como de duas
fases musicais. Mas ao passo que Beethoven trazia
à formalística do Classicismo um espírito apontando
para o futuro e já perfeitamente romântico, Alexandre Scarlatti pelo espírito principalmente é que
inda revela a estética do séc. XVII, ao passo que
na técnica musical é já um fixador de formas, possuindo do Classicismo o senso arquitetural da forma,
e o jeito de refinamento e graça das elites cortesãs.
Porém mesmo nas árias mais bonitas dêle, Alexandre Scarlatti inda revela aquela preocupação seiscentista de sublinhar com as inflexões musicais, o
sentido psicológico do texto. São os continuadores
da lição dêle que pouco a pouco abandonaram essa
preocupação pra bem e mal da música.

Ao mesmo tempo que elevavam a manifestação
melodramática à eminência de musicalidade que seria a grandeza da Ópera Bufa napolitana, e uma das
grandezas dêsse que foi o mais musical de todos os
músicos, Mozart: iam pouco a pouco deformar o
teatro lírico, tirando dêle o elemento de representação, fazendo óperas-concertos, séries ininterruptas
e lânguidas de árias sôbre árias, solos sôbre solos,
restringindo os elementos de manifestações teatral
da própria música.

Virtuosi-        Contribuíu muito para isso o desenvolvimento
dade.    da virtuosidade instrumental e vocal. A Itália forma, ao lado da Rússia, da Espanha e dos judeus,
na virtuosidade musical, nessa virtuosidade que faz
do virtuose uma vida que pertence ao mundo dos
aplaudidores dos concertos e não mais um elemento
de função social. Naqueles tempos, então, a península itálica estava sòzinha e por dois séculos vai
ser a fornecedora do mercado musical do universo.

Cantores, principalmente cantores; grandes virtuoses de cravo entre os quais aparece Domingos Scarlatti tão genial como o pai Alexandre, e a série admirável de virtuoses de arco, os Veracini, os Geminiani, os Nardini, os Boccherini, a todos dominando pela genialidade e fama, José Tartini, além do mais, teórico bom, fundador da escola moderna de violino, descobridor dos Sons Diferenciais. No belcanto então, já orientado por grandes professores-cantores, como Pistocchi, Ferri, Gizzi, é a fase das Faustina Bordoni, das Francisca Cuzzoni, e dos sopranistas numerosíssimos, os Farinelli, os Porporino, os Caffarelli, os Bernacchi, os Senesino, cuja boniteza de voz e habilidade técnica diz-que era fenomenal. Êsses cantores, muitos vinham dos Conservatórios, primitivamente Orfanatos, que, da mesma forma que as capelas germânicas, ensinavam música às crianças e as desenvolviam no canto. No séc. XVIII, a função dêsses estabelecimentos é importantíssima, especialmente na península, pois a influência da virtuosidade vocal foi tamanha sôbre o ópera, e mesmo sôbre os compositores, que causou desastres vastos e reações famosas (²¹).

---

(21) A música sofre duma grande inferioridade em relação às artes plásticas e à literatura. E' que em música o artista criador não entra em contacto direto com o público por meio da obra de arte, mas esta tem que ser realizada por um indivíduo intermediário: o Intérprete. Já sob o ponto-de-vista social isso é um defeito enorme, porque desnatura o fenómeno social da arte, obscurecendo o culto da humanidade pelos seus gênios criadores, desencaminhando a admiração pública que se desloca, a maioria infinita das vezes, pra um terceiro indivíduo meramente ocasional. O mal inda não seria enorme se o intérprete fôsse apenas o *intérprete*, isto é, se limitasse a um papel subalterno e virtuosíssimo de revelador, de explicador da obra de arte. Mas fenómeno por todo constado que, em 99 casos sôbre 100, o Intérprete em vez de ser virtuoso, prefere ser virtuose. Trabalhado pela concorrência e emulação, o Intérprete criou a noção horrenda da Virtuosidade pela virtuosidade, isto é, daquela habilidade temerária e formidável que, ultrapassando as possibilidades gerais hu-

**Reforma da Ópera.**

O poeta Metastásio pretende trazer a ópera para vias melhores, ligado ao fecundíssimo João Alfredo Hasse, alemão italianizado, de valor. As teorias estéticas sôbre o drama musical preocupam muitos espíritos, e afinal Gluck, influenciado pelo poeta Ranieri di Casalbigi, dá para a ópera série do século XVIII a melhor expressão dela, uma das mais permanentes, inda capaz de se sustentar no teatro mesmo em nossos dias. O que tem de essencial no gênio de Gluck é a fôrça profunda, impressionante, incomparàvelmente sugestionadora de dramaticidade. Jamais a música não atingiu grau mais poderoso de realismo dramático que em algumas passagens de Gluck.

**Gluck.**

O campo que Gluck escolheu para lutar pela reforma do estilo dramático foi París, terreno das mais importantes brigas musicais, e que ainda estava

---

manas, se torna um fenómeno espantoso, despertador das mas curiosidades humanas e dos seus instintos detestáveis. E' pela Virtuosidade que o Intérprete, de sagrado São João Batista revelador e precursor dos gênios criadores, como devia ser, se torna em maravilha atraentíssima e dramática em si mesma, tanto como a mulher barbada, das feiras, e o malabarista, dos circos. Não é o individualismo de qualquer interpretação que ataco nesta nota. Êsse individualismo é fatal, e cada um de nós sentirá sempre ao seu jeito, tal quadro ou tal poesia. O que se ataca no Intérprete é o lado Virtuose, o lado malabarístico, que desvaloriza a obra de arte, faz esquecer o gênio criador e deseduca o público. Tanto mais que, facilitados pela habilidade natural da voz, dos dedos (o grande Virtuose independe quase tanto de trabalho como ter olhos verdes...), o Intérprete, tal como o conhecemos agora, é um ser ignorantíssimo só sabendo da música... a interpretação. E agradar o público... O predomínio do Intérprete, especialmente do cantor de teatro, é uma das pragas famosas da música. E a-pesar-dos protestos dos compositores, das reformas que pretenderam fazer, essa praga viverá depois de Metastásio, depois de Gluck e até sempre. Vá como curiosidade esta cláusula a que Rossini se sujeitou no contrato para a *fabricação do Barbeiro de Sevilha*: "O maestro Rossini se obriga a adaptar a sua partitura à voz dos cantores; fazendo nela quando preciso tôdas as modificações necessarias tanto para uma execução boa da música como para as conveniências e exigências dos srs. cantores"!

FRANZ SCHUBERT
*(Lithographie originale par Laboureur)*

Franz Schubert — litografia de Laboureur — Col. M. de A.

LVDWIG VAN BEETHOVEN

Luiz de Beethoven — Água-forte de Emil Orlik — Col. M. de A.

Capas de músicas européias de salão, em litografia — Col. M. de A.

Milan 15

Caro Giovannini

Ti prego di occuparti seria-
mente della Sig.ª Nicolini,
insegnarle tutta la parte di
Gennariello, trasporta la
Canzonetta e Serenata.
Gli farai pagare il meno
che può —
Di fretta        Tuo amico
                 Gomes

ecoando na chamada "luta dos Bufões". Scarlatti criara um grupo numeroso de alunos diretos e indiretos em Nápoles. Compositores de obras religiosas, de música instrumental, de oratórios, a manifestação mais perfeita dêsses napolitanos foi mesmo a ópera e especialmente a ópera bufa. Esta vinha impregnada dum vívido influxo popular, transbordava de luminosidade melódica, espontânea, faceiramente bonita. Tôda cheia de espírito, movimentos rápidos, riqueza rítmica, formas nítidas. Fácil, facílima, até, porém, com essa facilidade que só o gênio pode inventar sem que despenque no banal e no chocho. Essa música feiticeira que levavam de Nápoles para brilhar em todo o continente os Jomelli, os Vinci, os Porpora, os Piccini, causara impressão fortíssima em París.

Napolitanos.

Dominava então o teatro musical parisiense João Filipe Rameau, que genializara a solução melodramática francesa criada por Lulli. Rameau era um dos mais completos espíritos musicais do século. Compositor de óperas, com um senso excelente da dramaticidade à francesa, equilibrado, sem violência por demais; uma graça inventiva prodigiosa nas peças de caráter mais livre, especialmente nos bailados; preocupação feliz de forma. Foi ainda um organizador genialíssimo dos fatos musicais. Com distância de sete séculos, êle repete o fenómeno realista de Guido d'Arezzo. No famoso "Tratado de Harmonia" concatenou de maneira esplêndida, clara, genial, a manifestação harmônica duma fase inteira. É considerado o fundador da teoria harmônica perdurada até nosso tempo.

Rameau.

Rameau representara já o elemento nacional francês, quando as companhias itálicas levaram pela primeira vez a París a primavera da ópera bufa.

Foi um chinfrim penoso. Com a defesa principalmente do filósofo e músico João Jacques Rousseau, o fermento da comicidade melodramática que já existia nos teatros de feira franceses (... séc. XVIII), e na Inglaterra (a *"Beggar's Opera"*, a Ópera dos Mendigos, 1728), se limitando a parodiar óperas sérias e a empregar a música folclórica, produz em París uma verdadeira escola de ópera cômica. André Grétry deu a elevação mais pura dela, popularesco, acurado na declamação de caráter gostosamente melódico, jamais não abandonando aquela tendência expressiva da musicalidade francesa.

Êsse ambiente de París, brigão mas conservando sempre um conceito mais exato do melodrama [22], menos viciado pela moda, renegando os sopranistas, é que Gluck escolheu para levar a cabo a reforma que pretendia. Conseguiu muita coisa, aplausos, firmar uma tradição que levará París ao movimento da
Ópera Histórica. Mas conseguiu também abrir uma briga nova e mais esquentada que a do tempo de Rameau. O principal antagonista de Gluck foi Piccini, então, famoso na Europa tôda. Antagonismo, valha a verdade, criado pelo público e pelos partidários da ópera napolitana ou da ópera gluckista. Gluck e Piccini continuaram se estimando por cima da barafunda e indiferentes a ela. Mas apesar de todo o talento gracioso e a sentimentalidade impregnante de Piccini, a diferença era prodigiosa...

Nos países germânicos, apesar de festejadíssima por tôda a parte, a ópera era dominada ainda pelos

---

(22) A palavra "melodrama" continuará sendo sempre usada neste livro para significar todo e qualquer drama cantado, seja ópera ou drama. Com a universalização da palavra "ópera", tempo houve em que "melodrama" passou a designar o gênero bastante espúrio de poesias declamadas com acompanhamento de orquestra. Rousseau, Benda, Marschner, Beethoven o tentaram.

itálicos. Os operistas germânicos estavam todos concientemente italianizados. As experiências da escola de Mannheim tinham orientado a invenção germânica mais especialmente para a música instrumental,
e a própria invenção da ópera cômica de caráter
germânico (*Singspiel*) por Hiller, não criara uma ten- Singspiel.
dência de importância histórica européia apreciável.
Era mesmo a música instrumental que estava apaixo-
nando a invenção germânica e a fecundando. Determinados os princípios básicos da forma de sonata,
esta esperava que alguém a generalizasse e genializas-
se. Se encarregaram disso especialmente Felipe Ema-
nul Bach, espírito gentil, precursor magnífico, possuindo excepcional invenção rítmica; e o gênio de
José Haydn.

Estamos agora na mais pura elevação de arte Haydn.
clássica instrumental. Sem dúvida que Haydn também, principalmente nos oratórios nos consegue comover sentimentalmente, mais isso não nasce de que
a música dêles se baseie em valores intencionalmente
psicológicos, senão porque a beleza musical comove
mesmo e assume, pelo seu dinamismo essencial, as diversas ordens gerais da comoção: alegria, tristeza, calma, graça, paz. Haydn não tem nada de profundo.
Como também, nas obras mais representativas, não
tem nada de superficial. É uma das expressões mais
étnicas da música germânica. Se coloca, sob êsse
ponto de vista, ao lado de João Sebastião Bach, de
Schubert e de Wagner. Porém é o lado da graça, da
ingenuïdade fresca e meia bobinha, a epiderme rubi-
cunda e polida de alemão, que êle significa mais.
É como que um riso ainda sem experiência da vida
— essa parte da psicologia germânica tão surpreendente dentro da rigidez de caráter dêsses filhos de
huno. Isso Haydn representa como ninguém. A vi-

da dêle foi a dum bocó. Porem na música essa "bo-bice" ingênita não deu nenhuma expressão de ridículo ou de puerilidade. Deu mas foi uma invenção melódica por temas curtos, uma riqueza rítmica bem rara na música européia, uma vivacidade graciosa, bem distinta da italiana, mais infantil, mais ingênuamente engraçada, desprovida de qualquer sensualidade. E assombra essas qualidades livres, espontâneas, duma franqueza incomparável estarem engaioladas dentro da forma inflexível da sonata. Inflexível não tem dúvida, sempre a mesma, não permitindo escapatórias, porém a que Haydn deu uma articulação maravilhosa que só Mozart superou.

**Mozart.**     Contemporâneo de Haydn, os dois se influenciando mùtuamente um bocado, João Crisóstomo Wolfgang Amadeu Mozart, na minha opinião o protótipo da musicalidade humana, é certamente a expressão mais característica do Classicismo. Mozart é "música antes de mais nada", e só música. Não possue a religiosidade nem a ciência polifônica de João Sebastião Bach. Não possue a profundeza de Gluck nem de Beethoven... Em vão a gente despojará Mozart de muitos valores e reconhecerá maneirismo ou pressa em muitas das obras dêle; Mozart persevera música só, e de posse de tudo quanto é exclusivamente música. Chamaram-no muitas vezes de "divino"; outros se preocuparam em mostrar o caráter universal e total da musicalidade mozartiana. Ùltimamente os historiógrafos de certo que acharam nessas tradições da crítica um lugar-comum pois não as repetem mais. Não tem dúvida que a confusão do "divino" com Mozart não tem valor crítico nenhum. E nem êle foi total. Porém Mozart permanece a encarnação da música. A universalidade dêle é verdadeira. Mas não é verdadeira por-

que êle tenha se apropriado de todos os caracteres
étnicos germânicos, italianos e franceses. Não é nisso
que Mozart é universal, porque antes de mais nada
o que êle é, mas é austríaco bem. A música dêle é
austríaca, refletindo um gôsto pela vida gozada, uma
espontânea e epicurística substituição do sofrimento
pela melancolia, possuindo tal maleabilidade de manifestação que é quase inconstância até. Êle aflora
até o *perigo de ser vienense* e cair na valsa, ideali-
zando êsse sintoma. É austríaco mesmo e principalmente vienense. Germânico na tendência de certos
*"Singspiele"*, influenciado pelos napolitanos nas óperas cómicas, a universalidade de Mozart é mais uma
circunstância específica do gênio exclusivamente musical dêle. Deixou obras-primas em quase todos os
gêneros musicais: uma série maravilhosa de sinfonias,
suítes, concertos pra piano, quartetos, quintetos, trios,
o Requiem, sonatas pra piano, pra violino, pra órgão.
E no meio dessas obras-primas, ainda óperas que são
monumentos incomparáveis. O esfôrço pra conciliar
o teatro musical com a música pura que caracteriza
a escola napolitana encontra nas óperas de Mozart a
realização mais perfeita. Já falaram com razão: Mozart é o maior dos napolitanos.

Estas foram as manifestações históricas mais importantes da música setecentista. Tendo realizado
particularmente música pura, o séc. XVIII nos aparece como o mais refinado dos períodos musicais. E
de-fato o que caracteriza mais totalmente a música
clássica é o espírito de elite, de nobreza tanto íntima
como exterior que ela possue. É a música nobre por
excelência. Pouco importa descenda em parte de
manifestações populares. Também as famílias de
sangue-azul se envaidecem de antepassados salteado-

Crítica do
espírito
musical
clássico.

res... Da mesma forma com que uma família destas
pela cultura, pela seleção, pela riqueza, pela educa-
ção, pelo protocolo, se afasta do povo: a música setecentista não tem caráter popular. A ópera cómica
nasce de manifestações populares, do teatro de feira,
da cantiga alemã, dos intermédios populares napolitanos cantados em dialeto, com as personagens abandonando coturno, toga, saias armadas, pra vestir roupa
contemporânea em assuntos sem Grécia, "A Criada
Patroa" (Pergolesi), "O Adivinho da Vila" (Rousseau), "O Barbeiro de Sevilha" (Paisiello). Porém, originàriamente popularesca, ela deforma com
sutileza a função popular que a fizera nascer. E os
temas e personagens popularescos que são quase de
praxe nela, não existem pra cantar o povo, louvar a
vida do povo e muito menos pra educar o povo: são
mas é mais elementos de comicidade. A ópera cómica, nascida do povo, é mais uma arma que a nobreza vira contra o povo para ridicularizá-lo. Aliás
tudo o que tiram então do povo é assim deformado
para se tornar nobre. A Siciliana, de que Haendel
abusou, dansa popular, se transformou em ária dotada de valores até expressivos. Hiller nos seus
*Singspiele*, distinguirá muito bem o caráter de nobreza das formas clássicas, fazendo as personagens
"de posição" cantarem árias, ao passo que as personagens populares cantam *Lieder* simples.

Está claro que estas observações não têm nada
de absoluto, porém são típicas e ajudam muito a
compreender o espírito musical do séc. XVIII. Êle
atingiu a música pura, conceito que psicològicamente
e socialmente não pode ser da alma popular. É um
conceito refinado, de poucos, de gente selecionada,
de gente titulada.

É verdade, que, no séc. XVIII, a exemplo das
tentativas inglesas do fim do século anterior, se ini-
ciam por tôda a parte os conceitos pagos com os
"Concertos Espirituais" de Phillidor e o "Concerto
dos Amadores" de Gossec em Paris; os Concertos
Públicos, com orquestras de mulheres, em Veneza;
os concertos de Hiller em Lepizig; os festivais da
Academia de canto oral (*singakademie*). Porém jamais a música artística não esteve tão afastada do
povo como agora. Dantes, mesmo refugando as normas, formas e espírito do povo, ela se dirigia para
o povo. Agora, muitas vêzes ela se retempera na
fonte popular, mas para se enriquecer do brilho, da
curiosidade. E até de exotismo, nos bailados sôbre
temas americanos, asiáticos e africanos...

    Em Veneza, quando os camarotes dos teatros es-
tão vazios, permitem que os gondoleiros se abanquem
nêles. Mas a música dirige-se intencionalmente às
elites dominantes; e para obter vozes gostosas, conservatórios não hesitam em operar os órfãos do povo,
como se fôssem animais de engorda.

    Outro caráter de nobreza do clássico é a expres-
são nova que vai tomando o individualismo. Dantes,
mesmo no caso de figuras tão individualizadas que-
nem Orlando de Lassus, Monteverdi ou Victoria, são
muito mais as escolas que os indivíduos que apresentam caracteres específicos. E mesmo quando um
compositor, e é o caso dos citados, se distingue um
bocado da orientação que o cerca, a individualização
dêle, se manifesta como abertura de orientação nova
ou ainda funciona socialmente como expressão histórica, com intenção de exprimir ou orientar ou
enaltecer uma coletividade. Agora não: além dos
caracteres comuns que unem os Clássicos ou os Ro-

*[margem]* Concertos Públicos.

*[margem]* Individualismo.

mânticos em manifestações coletivas, a pesquisa individual principia dominando. Cada um procura ter
uma solução pessoal. Basta ver a distância que separa um Mozart dum Haydn, e êstes de Gluck; Rameau, de Grétry; Domingos Scarlatti, de Zipoli ou
Marcelo, pra verificar que um valor novo de individualismo penetrara na vida musical. Eaglefield
Hull salienta objetivamente êsse individualismo com
o fenómeno, então original, de Mozart não poder mais
se sujeitar à prisão de mestre de capela de príncipes
despóticos. Mandou à fava o arcebispo de Salzburgo... Viver sofrendo mas viver pra si.

Sendo assim essencialmente nobre, a música do
séc. XVIII se manifesta por uma paixão do decorativo, por um senso arquitetural da forma, por uma
universalidade que jamais não foram tamanhas. A-
-pesar-das manifestações dum Durante, dum Marcel-
lo, a música religiosa decai, e sob a influência da melodia teatral, perde mesmo totalmente, às vêzes, o espírito religioso. Mendelssohn saira sarapantado da
audição duma Missa de Haydn e dirá que ela é "es-
candalosamente alegre". Porém Haydn não tinha a
culpa... Era uma fatalidade do tempo. Em Veneza
a paixão do decorativo, unida aliás a um bom-gôsto e
refinamento prodigioso de execução, levava aquêle
antigo luxo musical da cidade e manifestações complicadas. Missas com seis orquestras; seis órgãos e
seis coros se respondendo. Desde o início do século
aliás, a dramaticidade teatral estava desnaturando a
música religiosa, e o próprio João Sebastião Bach
reflete isso nas Cantatas. Haendel então fôra um
golpe enorme na verdadeira religiosidade musical e
chegou a fazer representar os primeiros oratórios que
compôs.

**Decadência religiosa.**

As formas principais que o Classicismo fixou são:
no melodrama, a Ária, o Recitativo Acompanhado e
a Abertura (*Ouverture*); na música instrumental, a
Sonata.

A forma clássica de Sonata consiste fundamentalmente em três Tempos, distintos no andamento e
condicionados uns aos outros pela tonalização modulatória. O primeiro e último, rápidos, na mesma
Tonalidade; e o central, vagarento, numa Tonalidade
Vizinha. O primeiro tempo é o chamado Alegro de
Sonata. Contém, a exemplo do Tema e Contratema
da Fuga, a concepção bitemática e a evolução harmônica Tônica-Dominante-Tônica. O segundo tempo é no geral na forma e no conceito da Canção estrófica e variável. O terceiro tempo, mais livre de
concepção, segue no geral o esquema do rondó, isto é,
emprêgo estrófico duma única melodia-refrão, repetida entre Divertimentos. É comum se reünir aos três
tempos fundamentais da Sonata mais um, intermediário, reminiscência da suíte: um Minuete. Beethoven
substituía muitas vêzes o Minuete por um Esquerzo e
a moda pegará. A forma de Sonata, com leves modificações, se manifesta em tôdas as maneiras de ser
da música instrumental. É "Sonata" nos solos instrumentais ou duetos concertantes; é "Trio", "Quarteto", "Quinteto", etc., nos agrupamentos instrumentais de Câmara; é "Concêrto" quando se trata dum
instrumento solista com orquestra concertante; é finalmente "Sinfonia" quando emprega sistemàticamente o elemento orquestral.

Na ópera, Scarlatti fixou a forma clássica da
melodia vocal com a Ária-da-Capo, obedecendo à construção tripartida tão freqüente em música. A Ária-
-da-Capo consiste numa melodia estrófica repetida
depois duma segunda parte, distinta pelo caráter.

Sonata

Ária-da
Capo.

**Abertura.**

   É ainda Alexandre Scarlatti quem fixa definiti-vamente o tipo da Abertura italiana, forma também tripartida (Rápido-Moderado-Rápido). A Abertura francesa, fixada por Lulli, é o posto da italiana: um Rápido fugado entre dois Lentos.

**Recitativo Acompa-nhado.**

   Desde o início do séc. XVII, o Recitativo já algu-mas vêzes, em vez de ser sustentado por um Baixo de cravo (Recitativo Sêco), era sustentado pela or-questra (Recitativo Acompanhado). Êste último costume se desenvolveu muito no séc. XVIII, e se sistematiza (Metastásio, Gluck, Hasse, Jomelli) por permitir ajuntar expressividade sinfônica ao signifi-cado do texto. Mas será mesmo sòmente com o Ro-mantismo, especialmente com Wagner, que o proces-so ganhará tôda a sua eficácia expressiva.

# Capítulo X

# ROMANTISMO

Apesar de tôdas as maneiras com que a música artística profana pretendia satisfazer as necessidades musicais do povo, nós vimos que ela, originada do canto popular, sempre se retemperando na fonte popular, fôra gradativamente se aristocratizando, se divorciando do espírito do povo. Chegara assim a se transformar em manifestação orgulhosamente aristocrática, com a música pura, dos clássicos. Se tornara por isso a reprodução artística talvez mais fiel do espírito político do séc. XVIII, em que as monarquias tinham elevado ao cúmulo da deformação o princípio aristocrático do Cristianismo, cujo fundamento é Deus-Rei.

*Aristocracia e Democracia.*

Contra êsse estado de espírito, absolutamente deshumano, do séc. XVII, contra essa espécie de transformação organizada do diletantismo pra dentro da vida social, verdadeira socialização do diletantismo: as reações principiaram aparecendo pouco a pouco. Orientadas em França pelo movimento filosófico dos Enciclopedistas, tiveram a sua explosão concreta na Revolução Francesa (1789) que modificou o mundo. Transformou-se muito a sensibilidade social, e essa transformação consistiu fundamentalmente na troca do espírito aristocrático anterior pelo espírito popular. Criou-se um novo estado de coisas geral que batizaram com a palavra Romantismo.

O Romantismo partiu do espírito popular e consistiu numa deformação nova dêsse espírito. Vamos ver essa deformação como se apresentou na música: Quando os arsnovistas se aproveitaram do espírito popular para profanizar a música, a deformação que imprimiram a êsse espírito consistiu em transportá-lo pra dentro da prática erudita, e o que era monódico no povo se tornou polifônico na arte. Quando os operistas napolitanos se aproveitaram de novo do espírito popular para regenerar a música, a deformação consistiu em aristocratizar, polir o que no povo era diamante bruto. Deram à Siciliana a forma protocolar da ária. Deram ao gôsto popular do cómico uma deformação curiosa, pela qual o próprio povo é que se tornava risível. A deformação romântica partia doutra necessidade. Não queria nem profanizar nem regenerar coisíssima nenhuma em arte. Queria sinceramente dignificar e elevar o povo. E por isso se preocupou em mostrar o que era o povo, chamando atenção, reforçando, acentuando, eloqüentizando as maneiras de sentir e de agir populares, Neste *reforçamento*, que é o processo específico do Romantismo, está a deformação que êle imprimiu ao espírito do povo.

O povo aceita mal a música pura porque a arte popular tem sempre uma função interessada social.

Os românticos deformam isso por exagêro. Não lhes basta unir a palavra à música, pra tornar esta compreensível intelectualmente e portanto útil. Nem lhes basta conceber a música como capaz de reforçar a expressão dos estados de alma, que-nem a tinham concebido Lassus, Monteverdi, o próprio Mozart e

mais ou menos todos. Para os românticos a música
se torna sistemàticamente a "arte de exprimir os sentimentos por meio de sons". A música para êles é
uma confidente, a que confiam todos os seus ideais
(Beethoven: "Sinfonia Heróica", "Nona Sinfonia";
Schumann: "Davidsbündler", "Carnaval"; Glinka:
"A vida pelo Tzar"; Wagner: "Mestres Cantores",
"Parsifal"; César Franck: "As Beatitudes"), os seus
sentimentos e paixões (Chopin: Estudos, Baladas,
Mazurcas, Polonesas, etc.; Schumann: os Lieder;
Wagner: "Tristão e Isolda"; Ricardo Straus no "In-
termezzo" bota a própria vida dêle em ópera), as
suas impressões de leitura ou viagem (Mendelssohn,
Weber, Berlioz, Liszt, Strauss, Saint-Saens; Beethoven: "Sinfonia Pastoral", "Apassionata"; Mussorgski: "Quadros de Exposição"; Debussy: dois cadernos
de "Prelúdios", poemas sinfônicos, etc., etc.). Siste-
matizou-se com isso os processos construtivos e in-
terpretativos de intenção expressiva sentimental. No
decorrer duma obra, os temas dela mudam de aspecto e de interpretação não mais por intenções meramente musicais que-nem os Ecos, a Variação, o desenvolvimento temático do Classicismo, porém pra caracterizar
estados psicológicos ou aspectos exteriores diferentes
da mesma coisa. Um tema se desenvolve ou varia não
pra demonstrar as suas possibilidades musicais, porém pra significar mudanças sentimentais. Essa concepção expressiva da transformação temática é o que
tem de mais constante e característico na musicalidade romântica, e é o que torna os compositores do
tempo eminentemente *historiados*. Quero dizer: o
ouvinte adquire a sensação de que está se passando um drama, está se contando uma história, um
caso qualquer. Beethoven chegou a denominar os

dois temas do alegro de sonata com os nomes de "princípio contrariante" e "princípio implorante"! Essa foi a deformação principal.

O Sublime.

Gigatiza-
ção da
vida

O povo é no geral brutalhão nas manifestações: chora gritado, aplaude berrando, briga a pau. Os românticos deformam isso pela especialização do sublime, do grandioso, do violento. Na Alemanha o lema da época é *"Sturm und Drang"* (Ânsia e Tormenta). Berlioz sonha com orquestras monstruosas; Beethoven une coros à sinfonia; Gustavo Mahler na Áustria sistematiza essa invenção beethoveniana; Wagner não se contenta com uma ópera só, e cria um ciclo delas com a "Tetralogia"; Liszt e Paganini elevam a virtuosidade ao suprassumum do malabarismo; construindo o teatro de Bayreuth, Wagner faz da música uma religião, de Bayreuth um lugar de romaria, do teatro um templo. O que preocupa os românticos é o cume da comoção. Catolicismo, paixão sexual e natureza andam misturados como nunca. Se confundem para atingir o *pathos* mais grandioso. O protótipo dessa exasperação... patológica é o poeta alemão Hoelderlin cuja doutrina estética, um pouco simplóriamente se pode falar que era o entusiasmo pelo entusiasmo, pois "fora do êxtase tudo era morto e sem alma" (Zweig, p. 45 e 57). Buscam as lendas medievais (Weber, Wagner), a feitiçaria (Mendelssohn, Marschner, Berlioz, Gounod), a exaltação de coisas pouco sabidas dos tempos passados, deuses nórdicos (Wagner), religião e agente gauleses (Bellini, Losueur). Os selvagens são dignificados (Meyerbeer, Carlos Gomes); as grandezas geográficas são exaltadas (Mendelssohn: "Gruta de Fingal"; Feliciano Davi: "O Deserto", "A Pérola do Brasil"); se exaspera a cultura do exótico, do medieval, do romano, do judeu (Mehul, Spontini, Meyerbeer, Halevy) em contraposição à tendência greco-renascente que dominara por dois séculos o assunto dos melodramas.

Outra deformação específica do romantismo foi transformar num repugnante cultivo da dor, a sinceridade com que o povo exprime às claras o sofrimento. Um dos traços essenciais do romantismo é o cultivo da dor. Berlioz chega a *inventar* uma vida mais trágica pra si mesmo. Dignifica-se os defeitos físicos ("Rigoletto", "Mula di Portici") e as transviadas, as tuberculosas, as esquisitas ("Traviata", "Salomé", "Dalila", "Melisanda"). As vidas são aventurosas e anormais (Beethoven surdo; Liszt místico amoroso; Chopin tuberculoso; Schumann louco; Paganini, diz-que tinha parte com o diabo...;Wagner se especializa em gostar das espôsas dos amigos íntimos...).

Cultivo
da dor.

Também agora êsse cultivo da dor, cultivo da vida eloqüentizada, leva os românticos à inadaptação. Ninguém se acha bem dentro da vida. No meio das maiores desgraças e abatimentos, os artistas de dantes construíam seu lar numeroso (Bach), cultivavam rosas (Palestrina), sorriam da colocação que tinham entre a criadagem (Mozart) e viviam bem. Agora tôda a gente quer construir uma vida ideal. Ninguém se adapta mais a esta terra, que para os românticos virou um inferno. Alargam tudo. A música aparece vibrando duma comoção não imaginada ainda, violenta, expressiva, literatizada, cheia de formas livres. Beethoven afirmava que não havia regra que o artista não pudesse contrariar em benefício da expressão... Dargomiski ensinava a Mussorgski que o obejeto da música não é a beleza formal mas a verdade da expressão... Basta aproximar êstes dois conceitos dos outros dois, de Mozart e Galuppi, que dei à pg. 116 para reconhecer quanto a mudança foi enorme.

**Transição.**

Porém a transformação não se realizou do dia para a noite. Houve todo um período transitório, mais ou menos de 1790 a 1830, em que os sintomas românticos foram aparecendo e se fortificando com certos movimentos e certas personalidades. París, revolucionária, republicana, imperial, sentimentalizada pelo mais genial dos aventureiros, Napoleão, vai se tornando o centro de cultivo universal da música e atrai italianos e alemães. A tradição de Gluck é continuada por Mehul e principalmente por dois italianos, Luiz Cherubini e Gispar Spontini, e o internacionalíssimo Giacomo Meyerbeer. Mas já nos assuntos escolhidos por êstes, a Grécia lendária desaparece e é trocada por assuntos que despertam o movimento da Grande Ópera Histórica. Esta orientação espetaculosa e sentimental é já sintomàticamente romântica.

**Ópera Histórica.**

**Itália.**

Na Itália, onde jamais o Romantismo musical não teve uma significação orgânica, a escola da ópera cómica dá então seus últimos cantos. Mas entre êstes vibra, como expressão das mais sublimes, o "Barbeiro de Sevilha" de Rossini. Também Donizetti inda cria uma ópera cómica deliciosa com o "Dão Pascoal". O sintoma romântico na Itália está expresso principalmente pelo melodismo novo de Caetano Donizetti e Vicente Bellini.

Sintoma de romantismos ou de decadência italiana?

Muito provàvelmente ambas as coisas. Si é certo que na obra dêsses dois músicos delicados inda

Luiz Chiaffarelli, — des. de Ângelo Cantú.
Col. Sra. Liddy Chiaffarelli.

Francisco Mignone — compositor e regente.

Capas de música impressa brasileira do séc. XIX, em litografia ou gravação em cobre. — Em cima, retratos da família imperial brasileira e do conde d'Eu, para a suíte "Família" de Filipponi e Hornaghi; a litografia do "Hymno" é de Ângelo Agostini — Col. M. de A.

Heitor Vila-Lôbos, regendo os corais do Rio-de-Janeiro

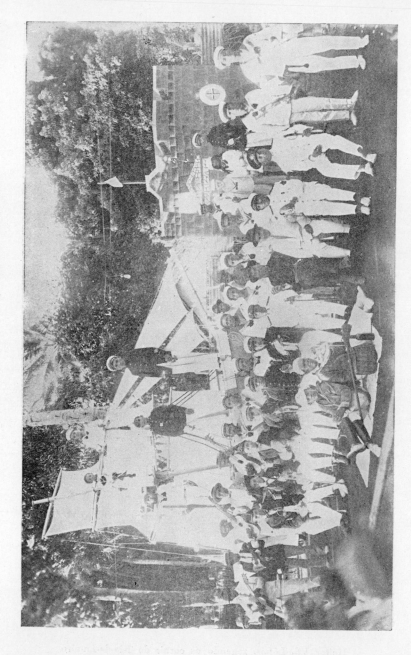

Chegaņa de Marujos (Fandango) — Rancho de executantes do bailado popular, na Paraíba.

se encontra algumas das expressões mais belas e generosas da melodia italiana, si é certo que apenas se utilizando do canto humano atingem mesmo os acentos da mais comovente dramaticidade: êles já apresentavam aquela moleza sensorial de melodia, despontada na obra dos últimos compositores da Ópera Bufa napolitana. E nessa gostosura "cantabile", já muitas vezes exterior, estão os primeiros sintomas do sensualismo epidérmico, da banalidade gigantizada que haviam de fazer de todo o século XIX italiano e do Verismo recente, uma das mais falsas expressões da música artística.

Exceção, no meio dessa decadência, é José Verdi. Foi músico genial e um grande espírito, ao qual se tornava bem conciente o depauperamento em que se anulava a música italiana do século. Depois de algumas óperas já imorredouras, construídas no espírito tradicional, percebeu os germes que desvigoravam a musicalidade italiana oitocentista, e que eram a ignorância técnica e o universalismo diletante. Sentiu com nitidez a precisão dos italianos voltarem ao estudo das fontes tradicionais da música peninsular e ao mesmo tempo se fortificarem com as conquistas estéticas, harmônicas, sinfônicas que os outros países estavam fazendo sem a colaboração da Itália. "Voltemos ao Antigo!" — êle falou. E ao mesmo tempo se matriculou no estudo dos mestres estrangeiros contemporâneos dêle, Wagner principalmente. E na obediência a êsses dois princípios básicos, numa revivescência de mocidade, criou, já depois dos cinqüenta anos, duas obras-primas genialíssimas que eram, ao mesmo tempo, caracterìsticamente italianas e espiritualmente modernas para a época em que apareciam, "Aida" e a ópera cómica "Falstaff".

*Verdi.*

No geral a música italiana do séc. XIX viveu
històricamente divorciada das tentativas e tendências
românticas que apareciam principalmente na Alemanha, na França e na Rússia. Foi por isso que pude
seccioná-la assim, embora esta *Pequena História* bus-
que exprimir o espírito universal das épocas. Volto
agora ao estudo do período de transição que serviu
de canal entre os clássicos puros e os românticos in-
tegrais.

O Lied.

Si na França êsse traço de união está guardado
principalmente pelos que seguiram Gluck e criaram
a Ópera Histórica, na Alemanha a transição para o
Romantismo se caracteriza pelo surto nacionalista decisivo que criou a representação artística do Lied
(Schubert) e o implantou até dentro do ópera (Weber). Afinal das contas a música, na Alemanha, jamais não conseguira se nacionalizar definitivamente.
Si é certo que os seus caracteres psicológicos já estavam então bem determinados, pelo amor da melodia mais profundamente comovida, pela riqueza dos
acentos harmônicos, pela tendência para a música orquestral, pela simplicidade forte, ingênua de expressão, pela preferência dos assuntos nacionais, na criação individualista e na própria técnica, os compositores germânicos deixaram impressa a atração que a
Itália sempre exerceu sôbre êles. Ainda uma sobrevivência disso, já leve aliás e sem fôrça descaracteri-
zante, se apresentará na obra de Wagner, encantado
com o açúcar de Bellini e escrevendo o "Tristão e
Isolda" para a ópera italiana do Rio-de-Janeiro. Pois
é êste período transitório que vai nacionalizar definitivamente a manifestação musical alemã com a obra
de Weber, Schubert, Mendelssohn e Beethoven.

Schubert.

Franz Schubert se aproveitando das tentativas de
outros alemães (Zelter, Zunsteeg, Mozart, Reichardt,

Beethoven) genializa as canções dêstes, criando o
Lied artístico alemão. Si as obras instrumentais dêle são também valiosíssimas, é nos Lieder que Schubert deu a melhor fôrça do seu gênio, expondo nêles
uma invenção absolutamente germânica e maravilhosa. Processo importante foi a participação do acompanhamento nos Lieder. Agora o piano não se limita mais a acompanhar o canto, porém é o comen-
tador psicológico e ambientador, às vêzes até descritivo, do texto. Essa era a principal contribuição romântica dêste gênio. Êle punha em contraste os valores expressivos da voz e os valores expressivos do
instrumento; e pelo caráter cancioneiro e até popularesco daquela, invertia as funções naturais de voz e
instrumentos, fazendo com a voz música pura, e com
o instrumento música descritiva.

Êsse processo que não deixa de trazer um certo
desequilíbrio para muitas das canções de Schubert,
será genialmente regulado por Roberto Schumann,
talvez o mais romântico de todos os românticos, o
qual, se apossando do Lied, iguala e funde a expressividade (com êle permanentemente psicológica) de
voz e piano. Como perfeição estética, Schumann
representa o momento supremo do Lied, que pôde às
vêzes ser igualado mas jamais ultrapassado pelos principais cantores de Lieder, entre os quais Hugo Wolf
é talvez o mais profundo.

Carlos Maria Weber, imbuído na tendência lie-
deresca, fixa o espírito racial da ópera alemã. Weber traz de mais pessoal para a música alemã uma
palpitação de vida vibrada, uma inquietude nova, ir-
requieta, às vêzes mesmo saltitante, com que êle genializa o que em Meyerbeer ficou abatido na banalidade e na brilhação falsa. Nas óperas de Weber, de
Henrique Marschner, de Luiz Spohr, além do muito

Weber.

que se aproveitou de Liszt, é que Wagner vai encontrar uma tradição nacional segura por onde dirigir as suas fôrças de poeta e músico.

**Beethoven.**     Mas a figura maior, absorvente, abatedora, dêsse período preparatório do Romantismo, é Luiz de Beethoven, sem dúvida um dos espíritos mais apaixonantes que a humanidade já produziu. Beethoven foi principalmente isso: um gênio ao acaso da arte que lhe coube. Não estou convencido que a música fôsse da preferência dêle, não. Foi a arte que lhe *deram* em menino, os pais e as circunstâncias da vida. E talvez mesmo o... acaso não tenha sido muito feliz na escolha da arte que deu ao grandiosíssimo gênio. Seja por que fatos forem, Beethoven chegou quase a odiar a música em rapazola, e sabemos que compunha às mais das vêzes com dificuldade extrema. E esta dificuldade não provinha da ânsia de perfeição musical, porém de preocupações intelectuais, de ordem literária, de ordem especialmente filosófica, que nada têm que ver com a música. Foi músico e deixou obras-primas sublimes em música não tem dúvida, mas deixou páginas literárias geniais pela grandeza e elevação das idéias, fôrça, profundeza de expressão. Entre estas o Testamento de Heiligenstadt é um monumento imortal. Êle não demonstra aquela musicalidade geral e intrínseca de Palestrina, de Bach, de Mozart. Foi músico e se tornou um dos maiores músicos pelas suas obras sinfônicas, quartetos, sonatas. Porém estou convencido que poderia ser tão grande ou maior poeta, filósofo, ou quem sabe si imperador... E é certo que a sua grandeza de homem se tem misturado muito na admiração com que todos lhe amamos as obras...

Espírito já completamente romântico, é na técnica, principalmente formal, que se manifesta em Beethoven a luta entre a tradição clássica e o tempo novo que se abria. Se sente que êle quer largar as formas clássicas, porém a verdade é que as desnorteia, quebra e irregulariza. Muitos dos seus alegros, principalmente nas sonatas para piano, antecipam aquêle caráter de historicidade musical que Chopin elevaria à mais perfeita expressão nas suas baladas e esquerzos. A gente percebe que está se passando uma história, um caso, um drama dentro dessa música, porém não sabe que drama. Por vêzes Beethoven chega mesmo a se inspirar num texto literário, que-nem na "Sexta Sinfonia", ou na "Apassionata", sôbre a "Tempestade" de Shakespeare, anunciando assim a futura Música de Programa. Êle possuíu, e ninguém como êle, o dom de dramatizar um tema e desenvolver os fragmentos dêste com uma vitalidade expressiva incomparável. As melodias adquirem uma profundeza que atinge o sublime numa porção de andantes. E si às vêzes a escritura dêle é defeituosa, abusando dos valores difíceis da voz dar, descaracterizando os instrumentos polifônicos pela maneira quartetística ou sinfônica de os tratar; si por vêzes os seus desenvolvimentos temáticos fatigam pela compridez excessiva: Beethoven é o gênio sinfônico por excelência, fecunda a orquestra de Haydn e de Mozart, e atinge com as suas nove sinfonias a perfeição da orquestra clássica.

Beethoven morre em 1827. Nos primeiros quinze anos do século tinham nascido as cinco figuras dominantes do romantismo: Heitor Berlioz, Frederico Chopin, Roberto Schumann, Franz Liszt e Ricardo Wager. Tudo o que êsses cinco artistas inventaram

*Romantismo Integral.*

como estética e técnica musical, resume o romantismo na sua essência mais pura.

**Literatura e Música.**

Todos estão impregnados de literatura e de literatice. É certo que de vez em quando apareciam músicos literatos. Telemann, Grétry, por exemplo, deixaram obras literárias de grande interêsse. No séc. XVII, fôra comum os compositores pregarem idéias estéticas no prefácio das obras impressas. Mas agora o fenómeno é coletivo e tem outros aspectos. Schumann é fundador duma revista musical, Berlioz é crítico militante, Liszt escreveu estudos musicais, Wagner pode-se até discutir si foi mais poeta ou mais músico; e numa série interessantíssima de ensaios, constrói tôda a estética do seu Drama Lírico.

Só Chopin escapa a essa epidemia, talvez por ser a musicalidade mais completa do século...

Mas além de tôda essa literatura, a música se enche de literatice. Não bastou pregarem idéias, discuti-las em livros e jornais. As próprias obras musicais se enchem de intenções descritas de ordem puramente literária.

Já Beethoven, na terceira fase da obra dêle, dera significação filosófica aos temas que inventava. Agora os românticos acham que a música por si só pode descrever tudo pormenorizadamente. E é com essas intenções descritivas que criam formas novas e fazem a técnica musical evoluir.

**Formas novas.**

As formas principais, inventadas ou especificadas por êles, são a Peça Característica, o Poema Sinfônico e o Drama Lírico. Tôdas elas são mais pròpriamente literárias que musicais. E por isso mesmo, o que as caracteriza não é mais a arquitetura sonora, mas a intensão descritiva. São formas desprovidas de fôrma, por assim dizer. São formas livres, musicalmente falando. A concatenação de movimentos, de temas, de tonalidade mesmo, deriva de intenções intelectuais, especializadamente literárias. A Peça Característica se desenvolve no instrumento solista. Se manifesta de duas maneiras: Ou pretende descrever estados psicológicos ou pretende descrever fenómenos da vida objetiva. Os cravistas, principalmente franceses, já tinham feito da peça característica uma das formas mais preferidas do instrumento solista. Porém estavam em pleno classicismo, eram clássicos de espírito e isso transparece nas obras dêles. Na realidade êles tomavam apenas um título inspirador do tema ou do movimento geral da peça, e dêsse pequeno elemento descritivo faziam criações essencialmente musicais. No período de transição para o romantismo, Schubert, Weber tinham concebido o piano como instrumento capaz de caracterizar estados psicológicos e mesmo às vêzes objetivos. Félix Mendelssohn ainda se aproximara mais da peça característica com a invenção dos "Romances sem Palavras", a que o próprio título já determina a intenção de transportar para o instrumento um gênero vocal, isto é, que usa textos inteligíveis. E com efeito, Mendelssohn não se contentara com o título geral de "Romances sem Palavras", e a alguns dêstes ajuntara um subtítulo mais explicativo.

Peça Característica

Isso os românticos desenvolveram, e do séc. XIX até os nossos dias a peça característica produzirá, junto de algumas obras de interêsse, um dilúvio medonho de aleijões antimusicais. A peça característica é o refúgio dos incompetentes e dos frouxos. Do romantismo para cá, a biblioteca musical se encheu de Primaveras, Luares, de Rêveries, de Crepúsculos, de Burrinhos trotando, Procissõezinhas passando, Bonecas, Soldadinhos de Chumbo, Pescadores, Chuvas, Chuvisqueiros, Tempestades, Souvenirs, etc. etc., numa insuportável mascarada de nulidades. A peça característica romântica é talvez a maior desgraça caída sôbre a arte musical, porque se servindo do instrumento familiar quotidianizou na sensibilidade do povo, o gênero "engraçadinho", a coisa interessantinha, a música onde-está-o-gato? na qual o ouvinte, em vez de se elevar aos prazeres puramente sonoros da música, se diverte em achar nas imagens sonoras o barulho do vento, o pio dos sabiás, o trote de muitas patas.

Só mesmo os gênios é que conseguem conservar a peça característica dentro da estrita musicalidade. E com efeito nela se manifestaram especialmente três dos maiores espíritos do romantismo: Schumann, Chopin e Cláudio Debussy.

Chopin.

A peça característica de função psicológica assume com Chopin, a mais alta expressão dela. Mas êste polaco maravilhoso era um apaixonado de Mozart e deformou com inteligência a orientação da peça característica, para não fugir nunca da criação essencialmente musical. Chopin é o menos literário de todos os românticos e certamente uma das musicalidades mais exclusivas que a história apresenta. Êle desliteratizou a peça característica e jamais não caiu no intencionismo descritivo mesmo de um Schumann ou de Debussy. Não teve o mau-gôsto de retratar indivíduos e fenómenos sociais e intelectuais que-nem seus companheiros de grandeza. Não imaginou "Chiarina", "Florestan", "O Poeta fala", "O Terraço das Audiências do Luar", "Sinos através da Folhagem". Os títulos dêle foram sempre vagos, Noturnos, Polonesas, Valsas, Prelúdios, Mazurcas, Estudos, Sonatas... E si é certo que fêz do piano um confidente, e com as obras quase uma autobiografia, nunca se afastou da musicalidade intrínseca.

O Poema Sinfônico é a forma mais literária do romantismo. Foi a causa de expansão da chamada Música de Programa, isto é, música que procura, por intermédio de elementos instrumentais, descrever um caso qualquer, fixado preliminarmente por meio duma página literária que vem impressa nos programas.

*Poema Sinfônico.*

Berlioz inda empregava, com maior ou menor liberdade, a forma da sinfonia nos poemas sinfônicos dêle. Imitava os passos de Beethoven até no ajuntar coros e solos vocais à orquestra. Mas Liszt vem dar ao poema sinfônico solução mais lógica, fazendo peças num movimento só.

Na verdade a música programática já preocupara autores antigos... Berlioz e Liszt sistematizaram êsse gênero espúrio, elevado por ambos, pelo francês Saint-Saens, pelo russo Rimski-Korsakov, pelo alemão Ricardo Strauss, à mais grandiosa e mesquinha finalidade. Mas pela preocupação de sublinhar feitos e gestos, ou descrever fenómenos da natureza, o poema sinfônico fazia dêsses quatro ilustres, instrumentadores formidáveis. O poema sinfônico engrandeceu os limites da orquestra beethoveniana e abriu as portas à pesquisa de ambientes sinfônicos novos. Tudo era agora pretexto pra efeitos orquestrais, e cada compositor adquire uma personalidade sinfônica distinta. Cada um soa diferentemente. Êsse individualismo pode se reduzir a duas orientações principais, criadoras de dois conceitos diversos de orquestração: um que se preocupa mais com o valor arquitetural da obra e exige a claridade dos desenhos sinfônicos, outro que se preocupa mais com a coloração e exige a diversidade dos efeitos sinfônicos. O primeiro é mais linear e arquitetural, o segundo é mais "luminoso" e pictórico.

O Drama Lírico foi criação de Wagner. É um dos fenómenos mais extraordinários da história musical. Reformando a ópera em sua totalidade, êsse grande esteta e músico, inventava, com o Drama Lírico, uma criação tão admiràvelmente lógica pela fusão teatral de poesia, música, dansa, pintura, ao mesmo tempo que exemplicava as suas teorias com obras sublimes que o problema do teatro musical parecia estar resolvido. E com efeito, depois das repulsas iniciais que tôda invenção causa mesmo, o drama lírico despertou entusiasmo universal, se tornou moda, e chegou a ser mania. Isso deu lugar a manifestações românticas do maior egoísmo e ridículo, que-nem a criação dum teatro na cidadinha de Bayreuth, espécie de basílica do drama lírico, onde numa certa época do ano, os intoxicados de wagnerismo iam escutar as obras do deus dêles, religiosamente, ritualmente, sem bater palmas, com êxtases bem diferentes dos prazeres naturais da música. Na verdade a construção genial de Wagner parecia e parece mesmo ainda hoje, uma solução definitiva. Não era não. Parecendo a mais fecunda das formas melodramáticas, o drama lírico foi a mais infecunda de tôdas! Apenas alguns poucos músicos entre os quais avulta ainda o romantiquíssimo Ricardo Strauss, procuraram aplicar sistemàticamente os processos de Wagner. Mas logo espíritos refinados e mais críticos, perceberam tudo o que havia de egoístico da invenção de Wagner, um dos maiores egoístas que a história apresenta. O drama lírico, na tese wagneriana é uma solução exclusivamente pessoal. Serviu para Wagner criar duas obras-primas ("Tristão e Isolda", "Mestres Cantores") e mais uma série de obras cheias de passos geniais. Mas ficou só nisso; e na sua tese estrita não deu mais nenhuma obra-prima de nenhum outro músico.

A intenção básica de Wagner foi, à imitação da Grécia, conceber a música no sentido artístico totalizado de fusão de tôdas as artes: a Arte das Musas. O único lugar possível dessa fusão era o teatro. No teatro wagneriano tôdas as artes devem de ter igual importância e nenhuma não prevalecerá sôbre as outras. A arquitetura da cena, a pintura do guarda-roupa e da ambiência, a escultura coreográfica das personagens se movendo, apresentam a participação das artes plásticas que devem se ligar em união indissolúvel/ com artes sonoras, música e poesia. A obra deve ser concebida por um artista só que escreverá o poema e a música, e determinará o espetáculo cênico. Só assim a gente pode conseguir uma unidade absoluta de concepção e realização. O valor dramático da obra, o seu sentido espiritual está determinado pelo poema, ao qual, pois, tôdas as outras devem se condicionar, não como subalternas, mas como concordantes. O papel da poesia é, pois, dar a significação intelectual básica da obra. O papel da música é reforçar essa significação com os seus valores que são mais dinâmicos, mais profundos que os da palavra.

Lògicamente pois: o texto deve ser o menos "cantado" possível. O "estilo recitativo" é o mais lógico para a palavra cantada, em que o canto deve se desenvolver numa linha livre, sem frases medidas, em que a melodia seguirá modulatòriamente, sem quadratura, sem conclusões, sem cadências completas: a

Melodia Infinita enfim. Os diálogos entre as personagens são lógicos porém não os Duetos, Tercetos e outras manifestações de música de conjunto concertamente. O próprio côro só pode ser utilizado em ocasiões raras e lógicas. A essa Melodia Infinita, cantada pelas personagens do drama, a orquestra se ajunta. É na orquestra que está deveras a participação da música do drama lírico. A orquestra é a comentadora, esclarecedora e reforçadora da ação e do sentido íntimo, psicológico e filosófico do drama. A orquestra pois, que deve ser invisível aos espectadores[23], traz a sinfonia para o teatro; e se desenvolve livre do canto, fundida com êle mas sem função subalterna de acompanhadora. E por meio da orquestra e da melodia infinita, sempre modulantes, as cenas se encadeiam, saindo uma das outras sem o seccionamento tradicional. Na realidade cada ato deve ser uma cena só. Para exercer o papel sinfônico de comentar e aprofundar os valores dramáticos da obra, a sinfonia se baseia em temas musicais de qualquer espécie, rítmicos, melódicos, harmônicos, de timbre, temas que *conduzirão* o comentário sinfônico e lhe darão compreensibilidade intelectual. Êsses temas são chamados de Motivo Condutor *(Leitmotif)*. Fixados inicialmente os elementos básicos do entrecho dramático, a cada um dêstes elementos (personagens, fatos, problemas psicológicos ou filosóficos) será atribuído um Motivo Condutor; e sempre que um dêsses elementos entra em foco na ação do drama, o *Leitmotif* que o representa aparece no tecido orquestral, comentando, evidenciando o valor funcional do elemento aparecido. Assim, o Motivo Condutor, ao

---

(23) Foi Wagner o propagador, em Bayreuth, dêsse dispositivo dos teatros musicais de agora em que as orquestras ficam sepultadas num socavão entre palco e platéia.

mesmo tempo que tem um valor dramático lógico, é
a célula temática da construção sinfônica.

Em suas bases essenciais essa foi a criação de
Wagner. É admirável, lógica nas suas deduções, genialíssima nas suas sistematizações de elementos já
existentes em potência na música anterior. Apresenta um único defeito, porém defeito fundamental:
acredita num drama cantado que seja lógico, quando
justamente o melodrama está fundado no ilogismo de
falar cantado. O drama lírico deu para Wagner ocasião de compor obras admiráveis, porém não mais
lógicas, nem mais admiráveis, nem mais dramáticas
que as de Monteverdi, Gluck, Mozart, Verdi e Honegger.

Si o drama lírico, na sua forma típica, ficou sem
continuïdade, a influência de Wagner foi enorme.
Os seus processos formais, as invenções estéticas, melódicas, harmônicas, orquestrais dêle se espalharam
por tôda a parte e modificaram bastante a fisionomia
musical do último quarto do séc. XIX. Afinal o teatro cantado mais comum, dos nossos dias (Ricardo
Zandonai, Wolfang Korngold, Hans Pfitzner, Vicente d'Indy, e tantos, tantos outros), é uma conseqüência da técnica e do espírito wagneriano.

Alguns músicos porém tiveram certamente conciência da grandeza egoísta da solução wagneriana
e se aplicaram a fugir dela. Assim por exemplo João
Brahms na Alemanha, talvez o mais pesadamente
germânico de todos os gênios musicais alemães.
Brahms funde as tradições de Bach e de Beethoven
na obra dêle, e dá origem a tôda uma série de compositores tão imbuídos dos caracteres severos e pesados
da raça, que provocaram um verdadeiro afastamento
da Alemanha do convívio musical internacional. Se

**Libertação
de Wagner.
Brahms.**

pode bem dizer que do último quarto do séc. XIX
para cá, a música alemã é tão exclusivamente germânica que se tornou uma linguagem penosamente
compreensível às outras raças. Ao passo que a Alemanha, cada vez mais civilizada, culta, universalista,
faz executar nos teatros dela e salas de concêrto as
obras recentes aparecidas no mundo, a música alemã,
posterior a Wagner, não é quase executada em parte
nenhuma. Brahms, pela perfeição técnica, pela genial pureza impregnante ou elevação das suas idéias
musicais, e modernamente o modernista Schoenberg
(mais por causa da importância técnica da obra dêle,
e aliás penosamente incompreendido no seu valor musical) inda se espalharam um bocado. Strauss conseguiu se universalizar. Humperdinck teve celebridade
episódica. Mas foi quase só. Dos outros, mesmo
compositores importantes na Alemanha e de grande
ciência técnica, dum Antônio Bruckner, dum Max
Reger, de Gustavo Mahler, uma das figuras musicais
mais fortes do fim do romantismo; dêsse outro gênio
mesmo que foi Hugo Wolf; e de Franz Lachner,
Jadassohn, Max Schillings, Weingartener, Pfitzner,
Reznicek, do italiano germanizado Ferrucio Busoni
como compositor, quase que apenas o mundo conhece os nomes.

Na França, o sentimento fortemente étnico dos
franceses jamais não permitiu que a influência da lição wagneriana prejudicasse a criação musical. Si
principalmente por causa do estúpido ódio de raça
existente entre franceses e alemães, muito se reagiu... literàriamente contra Wagner, os músicos
franceses não careceram disso pra continuarem bem

**César
Franck.** nacionais e com orientação própria. César Franck,
belga de origem, criador de linhas emocionantes, es-

pírito religioso e severo, polifonista admirável, harmonista inovador, contribuíu enormemente para firmar a independência musical francesa, no meio da
idolatria wagneriana dos últimos quarenta anos. César Franck deixou uma verdadeira escola, impregnada
da religiosidade do espírito dêle e principalmente
da disciplina séria da sua técnica. Se pode mesmo
considerar como uma das fases mais fortes da música
francesa êsse movimento formado de alunos de César
Franck: Vicente d'Indy, Emanuel Chabrier, Gabriel
Fauré, Ernesto Chausson, Henrique Duparc, os mais
fortes. Principalmente com os três últimos a canção
francesa se elevou à sua mais genial expressão.

Ainda a exemplo de Franck é que os músicos
franceses se dedicaram sistemàticamente à música de
câmara. O final do romantismo produziu em França
quartetos, trios, quintetos esplêndidos e esplêndida
música de piano.

Na ópera, foi principalmente o exemplo de
Carlos Gounod, Jorge Bizet e Júlio Massenet que
contribuíu com o "Fausto", a "Carmen" e "Manon"
para conservar a dramaticidade musical francesa.

E unindo todos êsses exemplos românticos a uma
íntima sensibilidade tradicional francesa, possuindo
a ciência técnica pesquisadora de César Franck, a habilidade sinfônica de Berlioz e Saint-Saens, a melosi-
dade de Gounod e Massenet, a vivacidade rítmica de
Bizet e Chabrier, a graça, o equilíbrio, a ironia, o
amaneirado, todo o espírito dos *Troubadours* e dos
cravistas, Cláudio Debussy, talvez o maior gênio mu-          Debussy.
sical da segunda fase romântica, abriu uma orientação
nova, mal chamada de "Impressionismo" e firmou na
música a hegemonia artística que París exerceu por
quase um século no mundo.

A significação estética principal do Impressionismo foi substituir a descrição programática pela sugestão descritiva. Nas suas peças características pra piano, nos seus poemas sinfônicos e na ópera "Péleas e Melisanda", Cláudio Debussy emprega os elementos descritivos da música, não porque pretenda descrever um estado de alma, uma cena dramática, uma paisagem. Êle apenas ambienta a sensibilidade do ouvinte, se servindo dos poderes sugestionadores que a música possue. Se conservando ainda dentro da estrita orientação descritiva romântica, Debussy organizou uma concepção mais razoável do descritivo musical, porque tirava, ao mais possível, a literatice do gênero programático, e dava à música uma liberdade mais exatamente musical.

A influência de Debussy foi enorme e internacional. Pela vastidão das suas pesquisas técnicas êle já delineia as faces mais perceptíveis da atualidade musical (²⁴).

**Romantismo — Fase harmônica.**

O principal valor técnico de Debussy foi a concepção de realizar música exclusivamente harmônica. Isso firmou aquela inquietude pesquisadora de ex-

_____

(24) É curioso de observar certas preferências dos músicos... Chopin adorava Mozart... Debussy adorava Chopin... Forma-se assim uma verdadeira genealogia de preferências, que permite observar, através da evolução do romantismo, a permanência do conceito de música pura, que Mozart simboliza. E si o espírito musical da atualidade se aproxima de novo e cada vez mais da música pura, pode-se dizer que foi ainda Debussy que lhe abriu caminho. Aliás alguns modernos preferem abertamente (e com mais clarividência crítica) se voltar diretamente para a criação clássica... Assim Francisco Malipiero na Itália se inspirando nos clássicos italianos; Stravinski voltando a Haydn; Joaquim Nin na Espanha cultivando os cravistas espanhóis, e Vila-Lôbos no Brasil afirmando, como pessoalmente me fêz a mim, o seu culto por Mozart, e descobrindo recentemente parecenças entre Bach e a música popular brasileira...

O compositor Alóis Haba, no seu piano em quartos-de-tom
(fabricação Augusto Foerster)

Igor Stravinski — Óleo de Jacques-Émile Blanche — Col. do Compositor

Arthur Honegger — Uma das litografias de Gaboriaud, insertas na grande edição fac-símile dos originais de "Rugby" — Col. M. de A.

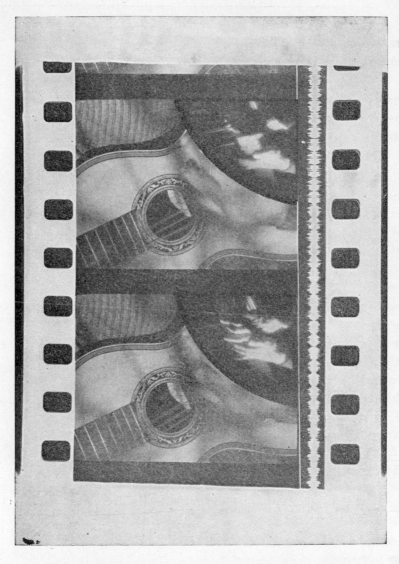

O filme Musical — O Instituto Nacional do Cinema Educativo, apresenta o "Ponteio" de Héquel Tavares, para piano e orquestra.

pressão acordal, que fizera do romantismo a fase harmônica por excelência.

Na Melodia, os românticos não teriam podido criar linhas mais emocionantes e profundas que as dos grandes dramatizadores musicais passados, um Lassus, um Monteverdi, um Bach.

Melódica.

No ritmo, a música estava com um pedregulho no sapato que não lhe permitia andar: a barra-de-divisão. Muito embora Chopin, Chabrier, Debussy apresentem bastante riqueza rítmica, pode-se dizer que o esfôrço enorme do romantismo, a respeito do ritmo, consistiu em tirar o pedregulho de dentro do sapato: uma pesquisa mais diretamente técnica que expressiva. Wagner principalmente, com a sistematização da melodia infinita, foi quem repôs a barra-de-divisão no seu lugarzinho-mirim e desimportante, o único que ela deve ter na criação musical. Com especialmente a elasticidade fraseológica do "Tristão", a barra-de-divisão não passa dum simples elemento para facilitar a leitura musical. A pesquisa rítmica dos românticos foi principalmente isso: abrir portais comunicantes entre os cubículos sucessivos dos compassos, de forma a fazer destes cubículos uma arcada, sob a qual a música pudesse se expandir com maior liberdade. Os mais polifonistas é que principalmente conseguiram isso, um César Franck, um Brahms por exemplo, porque de-fato a polifonia obrigava os artistas a conceber o compasso como um simples marco de construção, sem preconceitos de tempos-fortes e tempos-fracos, e sem o confundir com o ritmo. Dentre as pesquisas nesse sentido, muito mais técnicas que expressivas, surgiram a mutação continuada de compassos diferentes, dentro duma só composição, os compassos estranhos como os quinários e os onze tempos (princi-

Rítmica.

palmente russos e espanhóis), a superposição de
dois compassos diferentes, a definitiva eliminação da
barra-de-divisão. Mas si é certo que, evoluída do
romantismo, a música da atualidade apresenta uma
variedade e uma riqueza de combinações rítmicas
incomparável dentro da civilização européia, não é
menos certo que, na Europa e mais ou menos pelo
mundo todo, ela não conseguiu ainda se libertar da
Perfeição e da Imperfeição mensuralistas.

**Nacionalismo**
E veio acentuar essa fixação nova da Binaridade
e Ternidade angustiosas, o aparecimento das novas
escolas musicais. A libertação da acaparante genialidade wagneriana teve como efeito firmar de um
modo despropositado o espírito étnico das três grandes escolas tradicionais. Já vimos como, ao exemplo
de Brahms, a escola alemã se germanizou. Já vimos
que, ao influxo de César Franck e da dramaticidade
Gounod-Bizet, a escola francesa firmara como jamais
os seus caracteres étnicos. Na Itália, Verdi exclamara
o apreensivo "*Torniano all'antico!*" Na realidade
êste conselho só foi compreendido pelo movimento
cultural de Luiz Torchi (fundador da "*Revista Mu-
sicale Italiana*", um dos elementos decisivos da volta
dos artistas italianos ao cultivo sério da música), e
dos culturalmente germanizados, os Martucci, os Bos-
si, que abandonaram a ópera desvirtuada por demais

**Verísmo.**
pela banalidade internacionalista do Verismo.

Falo "internacionalista" porque o Verismo, a
que Bizet com as côres violentas de "Carmen" dera
a primeira manifestação genial, e a que Puccini inda
genializaria mais uma vez com a "Boêmia" não é
pròpriamente italano. E' uma escola simplesmente
ruim, caracterizada pela violência drástica do libreto
e pelo sentimentalismo epidérmico da realização mu-

sical. E teve repercussão universal. Alemães (Korngold, Strauss), franceses (Massenet, Bruneau) também oficiaram nesse altar sem deus. E alás não é difícil, no colorismo de certos russos, e espanhóis e mesmo brasileiros (Vila-Lôbos, na sinfonia "A Guerra", e Francisco Mignone no drama lírico "O Inocente") perceber incensos mal disfarçados a esta religião do aplauso fácil.

Além da firmação nacionalista das três grandes escolas, os compositores dos outros países, que até então se incorporavam a elas por estudarem nelas e serem nacionalmente descaracterizados, principiaram buscando refletir a alma étnica da terra dêles. A primeira organização dum movimento nacional reacionário contra a hegemonia ítalo-franco-germânica, apareceu na Rússia. Já Miguel Glinka com a ópera "A Vida pelo Tzar" tentara nacionalizar a criação dêle. Mas, como faria também pouco depois Carlos Gomes entre nós, êle inda se manifestava mais nacional pelo texto escolhido que pela invenção musical. Só depois dêle é que Mili Balakirev arregimenta o chamado "Grupo dos Cinco" (mais César Cui, Rimski-Korsakov, Alezandre Borodin, e Modesto Mussorgski), que pelo emprêgo principal de elementos musicais populares na criação, consegue dar para a música russa uma nacionalização eficiente. A todos sobrepuja Mussorgski, uma das mais elevadas expressões artísticas do romantismo. Gênio possante, que nas obras dêle, resumiu a profundeza trágica, o humorismo sinistro, a alegria descabelada, o sentimentalismo pueril, a barbárie incontida, a ingenuïdade meiga, o satanismo, a inocência, tôda essa multifária contraditoriedade a que nos acostumaram os escritores e fatos históricos da Rússia. Depois

Rússia.

de Mussorgski, a escola russa, ràpidamente universalizada pela moda russa que ridìcularmente tomou o mundo desde a última década do século passado, se debate entre tendências nacionalistas e universalistas, hoje simbolizadas pelas escolas de Moscou e Petrogrado.

Sem que se inspirassem no movimento russo da segunda metade do séc. XIX, as nações européias e americanas principiaram se agitando no sentido de nacionalizar a produção musical. A orientação que tôdas seguiram foi buscar nos elementos populares uma caracterização racial já definida. Assim fizeram ou fazem ainda agora: Chopin, Estanislau Moniusko para a Polónia; Frederico Smetana para o Boêmia; Felipe Pedrel, Isaac Albeniz, Henrique Granados para a Espanha; Eduardo Grieg para a Noruega; Sibelius para a Finlândia; Ralph Vaughan Williams, Granville Bantock para a Inglaterra; Alfredo Keil, Viana da Mota, Rei Colaço, Rui Coelho para Portugal; Bela Bartock para a Hungria; Carlos Gomes, Alexandre Leví, Alberto Nepomuceno para o Brasil; Mac-Dowell para a América do Norte; Júlio Ituarte, Manuel de Ponce, Carlos Cháves, José Rolon para o México; Alfredo Wild para a Guatemala; Eduardo Sanches de Fuentes, Pedro Sanjuan, Amadeu Roldan, Alexandre Caturla pra Cuba; Alberto Williams, João José de Castro, José André, Luiz Gianneo, Gillardi, Atos Palma, C. Gaito, De Rogatis, Suffern, Morillo para a Argentina; Henrique Soro, H. Allende, Domingos Santa Cruz, Isamitt, Próspero Bisquertt Prado para o Chile; Eduardo Fabini, Afonso Broqua, Carlos Pedrell, Cluseau-Mortet, Calvavecchia para o Uruguai; João B. Plaza, Moiséz Moleiro para a Venezuela; Uribe-Holguin, J. Rozo Contreras, Posada Amador, Hurilo para a Colômbia; J. Francisco Nieta, Luiz Moreno, Luiz H. Salgado (Equador), Valle-Riestra, Teodoro Valcárcel, Leandro Alviña, Andrés Sas, Alomia Robles (Peru), Simão Roncal, Francisco Suárez, González Bravo, Velasco Maidana (Bolívia), para a renovação da música incaica.

Ora todos êstes movimentos nacionais, si trazem algumas fórmulas rítmicas novas para a música, não deixam de prejudicar a libertação do compasso conseguida por Wagner, Franck, Debussy. Porque as escolas novas, por estarem fortemente impregnadas de musicalidade popularesca, são fortemente cancioneiras e às vêzes particularmente coreográficas (Espanha, Polónia, Brasil), tendência que necessitam do compasso e o põem em evidência.

Assim: não conseguindo fazer mais que os antigos na melodia, e se contradizendo nas pesquisas do ritmo, foi mesmo pela harmonia que a música romântica pôde desenvolver as suas tendências pra uma expressividade gigantizada e nova.

**Harmônica.**

O senso da tonalidade estava tão fixo desde Mozart ([25]) e Beethoven, que escapar a êle dava surprêsas, desagrados, e portanto comoções inesperadas e fortes. Foi o que fizeram os românticos desde o princípio. Chopin apresentava uma riqueza harmônica admirável. Principiaram se sistematizando principalmente com Liszt, que mais foi grande experimentador que grande criador, os acordes de quinta aumentada e de sétima diminuída (Sinfonia "Fausto"), os quais ao mesmo tempo que, no seu ineditismo, produziam efeitos expressivos violentos,

**Destruição do senso tonal.**

---

(25) Mozart até foi chamado de "fabricador de cadências". Isso que foi dito depreciativamente, prova mas é que jamais o senso tonal não estivera tão firme, tão espontâneo, tão necessário como nêle.

eram, pela vaqueza da interpretação harmônica, um
ataque sério ao senso tonal. Nas obras seguindo
ainda mais ou menos a forma de sonata, os compositores se compraziam cada vez mais em fugir da
parentela das tonalidades vizinhas, modulando pra
tonalidades afastadas da principal. Wagner no
"Tristão", não contente com os... erros de harmonização que praticava, trazendo pra dentro da harmonia clássica, por exemplo, as séries de quintas
paralelas: emprega profusamente o sistema cromático, elevando o cromatismo, que sempre atraíra os
compositores, a uma exaltação apaixonada e... mortífera. Como observa Guido Adler muito bem, o
cromatismo sistemático do "Tristão" era já o aniquilamento da tonalidade. Logo em seguida César
Franck eleva a ciência harmônica à mesma habilidade expressiva a que João Sebastião Bach elevara
a ciência polifônica.

**Individualização do Acorde.** Dá-se uma verdadeira libertação nova do acorde,
que principia sendo considerado em si, pela sua boniteza ou efeito dramático *individual*. Em última
análise, a harmonia clássica não passava duma polifonia que distinguira apenas a individualidade
*morfológica do acorde*. Na harmonia clássica persevera sempre o movimento a quatro vozes e persevera portanto a polifonia, no seu sentido técnico.
Com o romantismo, embora continuem ainda considerando teòricamente o movimento a quatro partes
da concatenação acordal, os acordes de Liszt, de Wagner, e depois mais claramente os de Grieg ou de
Frederico Delius por exemplo, surgem como que isolados, independentes. Essa independência, êsse isolamento provêm de que a estranheza, a dificuldade
interpretativa dêle é tal que obriga a verdadeiros

sofismas teóricos. Mas apesar dos sofismas de interpretação teórica, pràticamente o Acorde aparecia sòzinho, individualizado *não mais apenas no seu corpo físico, como também na sua entidade psicológica.* O acorde agora não serve mais pra acompanhar a melodia solista. Se emparelha com ela, vai ao lado dela, característico, livre, individual. E o acorde seguinte em vez de continuá-lo e completá-lo, o substitue. E o seguinte substitue a êste, e vão todos assim numa procissão de indivíduos diferentes. Se observe como isso submete-se ao conceito republicano, à essência popular do romantismo: cada obra se apresenta como uma verdadeira multidão em que todos os indivíduos se fundem num grupo que é a alma coletiva (a obra), mas em que cada indivíduo é diferente dos outros na psicologia e no físico. Preparação, ataque e resolução de uma dissonância implica movimento de partes polifônicas. O acorde dissonante não preparado nem resolvido, uma tríade tonal seguida por outra tríade tonal noutro grau (Debussy), são acordes que vivem por si. A sistematização disso foi que fêz do romantismo a fase harmônica por excelência. E foi o que o distinguiu da atualidade, que acabou dissolvendo o acorde analisável teòricamente. A bem dizer não existem mais acordes agora.

E também esta dissolução do acorde veio se preparando com os últimos tempos românticos, principalmente pela obra de César Franck, cuja importância histórica é enorme. A harmonização de César Franck reagiu contra o cromatismo apaixonado de Wagner, por meio dum... cromatismo novo, que consistia em não empregar quase um só acorde puro, porém muito desfigurado por Antecipações do acorde

Dissolução do acorde.

seguinte e Retardos do antecedente. Resultava daí um compromisso tal, uma fusão tamanha, que o acorde deixava de ser tonal. César Franck emprega os *conjuntos de sons* no que a gente poderá chamar de "harmonização modulatória". Modulação contínua num conjunto simultâneo (acorde) para o conjunto simultâneo seguinte. Com isso a individualidade tanto física como psicológica do acorde deixa pràticamente de existir. O que existe é um *conjunto sonoro em movimento*. Certas passagens dêsse grande mestre são tão incertas de analisar tonalmente *que já podem passar por atonais* (²⁶).

A significação, a fisionomia do romantismo é ser a fase harmônica da música. A fase em que a harmonia assumiu seus mais alto grau de expressão, o seu mais elevado desenvolvimento teórico na interpretação dos acordes.

Debussy, verdadeiro elo de ligação entre o romantismo e a atualidade, na estética e na técnica resumido todo o passado romântico e apontando bastante a orientação dos modernos, deu o golpe de graça na tonalidade. Inspirado nas escalas exóticas, substituíu muitas vêzes a tonalidade por escalas novas, entre as quais a de seis graus, desprovida de semitons. Dá golpes sôbre golpes no plano tonal das obras, empregando sistemàticamente uma vagueza harmônica que já não é mais possível chamar de modulação.

Mas por outro lado sintetizou tôda a preeminência da harmonia do romantismo, afirmando que nas obras dêle só existiam harmonias, só existiam acordes, e que expulsara delas a melodia...

---

(26) A explicação dêstes dois últimos grifos virá no capítulo Atualidade.

# Capítulo XI

# MÚSICA ERUDITA BRASILEIRA

A música erudita no Brasil foi um fenómeno de transplantação. Por isso, até na primeira década do séc. XX, ela mostrou sobre tudo um espírito subserviente de colónia. Perseveramos musicalmente coloniais até que a convulsão de 1914, firmando o estado de espírito novo, ao mesmo tempo que dava a todos os países uma percepção por assim dizer objetiva da tonalidade do universo e despertava no homem uma conciência mais íntima de universalismo, também evidenciava as diferenças existentes entre as raças e legitimava em todos os agrupamentos humanos a conciência racial.

Já no início da vida brasileira se principiou fazendo música nos núcleos principais da Colónia. O som foi sempre considerado elemento de edificação religiosa e, também aquí, nasceu misturado com religião. Os jesuítas ensinavam o canto religioso aos ìndiozinhos catequizados, e as festas da Igreja eram enfeitadas por cantigas. Simão de Vasconcelos afirma que o padre João Aspilcueta Navarro foi o primeiro a lecionar canto aos curumins brasílicos, bem como a "pôr em canto de órgão as *cantigas dos índios* que continham a doutrina cristã". O processo de cantar, ensinado pelos padres aos índios, era de preferência o antifônico, a dois coros.

*M. Religiosa.*
*Autos.*

Também os adestravam em certos instrumentos como
"charamelas, flautas, trombetas, baixões, cornetas e
fagotes". O teatro logo se ajuntou a essas festas.
Autos religiosos e morais, providos de cantoria, eram
representados pelos índios e pelos padres, em pal-
cos improvisados dentro ou junto das igrejas di-
reitinho como nos Milagres medievais. Desde 1553
se tem notícia de autos assim, escritos por Nóbrega,
Anchieta, Manuel do Couto. Tornou-se mesmo tão
comum celebrar tudo com cantigas e autos religiosos representados pelos índios, que o morubixaba
potiguar Sorobabé quando, destruídos os mocambos
de negros, voltou para o Rio-Grande-do-Norte, bri-
gou feio com os padres franciscanos por não terem
mandado "os columins para o festejarem com cantos
e comédias" (Varnhagen). E o costume dos padres amestrarem os brasís, no canto religioso, per-
durava ainda tão intenso em pleno séc. XVIII, que
o bispo do Grão Pará, frei João de São José Queiroz
se referia a índias e mamelucas cantando missas "a
quatro vozes bem ajustadas".

Capelas.
Teatros.

O canto português e alguma rara manifestação
instrumental profana viviam aquí só nos lares e sem
função histórica. Os inventários coloniais paulistas
mencionaram instrumentos músicais com muita raridade, violas de "pinho do reino", cítaras, ou aquela
guitarra deixada por Catarina d'Orta em 1626. O
bandeirante Sebastião Pais de Barros deixa em 1688
uma rica viola, avaliada em dois mil réis. Mas
função histórica, nos três primeiros séculos da Colónia, só adquirem as manifestações teatrais e religiosas. No séc. XVII os teatros principiam aparecendo na Baía, no Rio-de-Janeiro, em São Vicente,
com vida curta e sem realidade nacional nenhuma,
pode-se dizer. Imagine-se por exemplo que escres-

cência a representação da "Esio em Roma" da Pórpora, executada em Cuiabá, em 1790! Casa da Ópera (Rio, 1767) parece ter sido a mais eficaz dessas tentativas. Mas as Capelas é que primavam pelo apuro musical. No fim do séc. XVII havia mestres de capela titulados, ganhando sem avareza, tanto em Olinda como no Rio-de-Janeiro. Afirma o viajante Pyrard de Lavalle, que, desde o início do século, existiam na Baía "escolas de música fundadas conforme os costumes dos grão-duques europeus". Em 1730, Pedro Leam, no órgão, dirigia Te-Deuns com orquestra em que havia violinos, violoncelos, flautas, clarinetas e... gaitas de foles, na capitania da Paraíba-do-Sul...

A música religiosa domina. Êsse domínio vai perdurar até meados do séc. XIX, em manifestações primordialmente viciadas porque, quando a Colónia já estava com possibilidades de criar execuções mais puras (séc. XVIII), a música religiosa decaía na Europa e a que vinha para cá, por intermédio de Portugal, vinha cheirando teatro, melodista, bonitota, sem tradição. Um viajante inglês chega a afirmar que no Rio-de-Janeiro, os sopranístas da Capela Real, de Dão João VI, cantavam nos templos trechos escolhidos, tirados das óperas! E Tobias Barreto, pelo que afirma Afrânio Peixoto, ouviu numa igreja do norte, cantarem a "Hebréia", de Castro Alves! O fato é que ninguém não menciona Palestrina nem Victoria, nem Bach, Gabrieli ou Durante.

Mas essa religiosidade musical da Colónia era justo que desse a primeira manifestação elevada da criação brasileira. Deu. Foi o Padre José Maurício.

Nos meados do séc. XVIII, os jesuítas do Rio-de-Janeiro mantinham uma espécie de conservatório

Conservatório de negros.

166    MÁRIO DE ANDRADE

para os negrinhos, na fazenda de Santa Cruz, próxima da cidade. Essa instituïção foi inteligentíssima no ensino e chegou a possuir grupos de instrumentistas e cantores tão bons, que espantaram Dão João VI, Marcos Portugal e Neukomm. A vinda de Dão João VI e os progressos do grupo musical de Santa Cruz, abrem no Rio-de-Janeiro uma fase de esplendor para a música. Marcos Portugal, o maior compositor português, e Sigismundo Neukomm, músico alemão regularmente conhecido no tempo, vêm morar no Rio. O primeiro, mestre da capela real, diretor do teatro, faz representar as óperas e... as missas dêle. O corpo coral era muito bom, dizem, e os cantores solistas, vozes das mais perfeitas do tempo, como a do celebrado Fasciotti. Já os instrumentistas não igualavam semelhante perfeição e o maestro marcava o compasso à italiana, batendo palmas, nos tempos, com quanta fôrça tinha... São festas magníficas que dão para o Rio-de-Janeiro uma atividade artística de cidade européia.

José Maurício. No meio dêsse brilho, vaga a figura doce do padre José Maurício Nunes Garcia, primeiro nome ilustre da música brasileira. Era um mestiço carioca, educado nas tradições de Santa Cruz, músico habilíssimo, dizem que praticando Bach, Haydn, Mozart. Êstes dois é certo que conhece, assim como Paisiello. Foi fecundíssimo. A obra dêle ou as traças devoraram ou continua inutilizada em manuscritos. Alberto Nepomuceno fêz publicar o "Requiem" e a "Missa em Si Bemol". O "Requiem", considerado uma das obras-primas de José Maurício, é também a obra-prima da música religiosa brasileira. Claro, bem escrito, bastante ingênuo no emprêgo da polifonia, reflete o espírito da época. E pela invenção melódica duma serenidade, duma nitidez puras, se equipara ao que faziam, no gênero, os italianos do tempo.

Depois dêsse esplendor em que a Capela Imperial chegou a ter 100 executantes, a independência política faz com que a vida brasileira principie de novo. Também a música sofre o abalo da mudança e no Primeiro Império se empobrece bem. Mas renasce mais variada nas manifestações e mais dispersa no país.

Música Profana.

Em Pernambuco, havia uma oficina de pianos... Principiava a destestável moda de tocar piano, que já em 1856 fazia Manuel de Araújo Pôrto Alegre chamar o Rio-de-Janeiro de "cidade dos pianos." Dão João quando regente mandava vir para o palácio de São Cristóvão, uns pianos ingleses que foram os primeiros do Brasil. Meio século não se passara e a praga era tão geral no país, que Wetherel se espanta de encontrar pianos a cem léguas, interior a dentro, transportados a ombro de negro. Por tôda a parte se organizava bandas e orquestras que-nem a de Campinas dirigida pelo pai de Carlos Gomes, Manuel José Gomes, ou as que em Olinda dirigiu Tomaz da Cunha Lima Cantuária, ainda compositor e teórico musical, autor duma "Pequena Arte da Música". A música religiosa, ainda muito apreciada e escrita, vai perdendo pouco a pouco, a importância dominadora que tivera de-primeiro. Nas províncias ainda ela permanece bem, às vêzes em execuções tão boas que Saint-Hilaire chega a preferí-la à música sacra de certas regiões da França. Mas não tem valor histórico pròpriamente nacional. Dão Pedro I, aluno de Neukomm, foi hábil musicista. Às vêzes dirigia êle mesmo as execuções da Capela

Imperial, e, pelo que refere Schumacher, era tão apaixonado de música, que chegava a receber visitas de estranhos, com a guitarra em punho. Como compositor ficou dêle o Hino da Independência, apenas uma curiosidade. Protegeu como pôde a música e esta se reabrirá em fecundidade nova no Segundo Império. No Rio-de-Janeiro o antigo teatro São João, seguido pelo São Pedro de Alcântara, é continuado pelos teatros São Januário e São Francisco. Dão Pedro II, que a instância de Francisco Manuel, fundara em 1841 o Conservatório de Música (depois Instituto e hoje Escola Nacional de Música), fundou também em 1857 a Academia Imperial de Música e Ópera Nacional. Esta academia teve um período de brilho nacional extraordinário, cm que fêz cantar na língua do país, óperas estrangeiras e numerosa produção brasileira. Nela Carlos Gomes deu seus primeiros passos no melodrama, com a "Noite no Castelo" e "Joana de Flandres".

**Apogeu do Segundo Império.**  O Segundo Império foi talvez o período de maior brilho exterior da vida musical brasileira. As companhias italianas traziam pra cá vozes célebres, davam temporadas que somavam 60 espetáculos, deixavam por aquí música e instrumentistas. Os concertos eram também numerosos, não só de virtuosos estrangeiros como de nacionais aparecendo. Dentre êstes, é curioso constatar, durante o Império, a freqüência dos instrumentistas de sôpro, gente que profetizava de-certo nossos tão hábeis flautistas e oficleidistas populares... É ainda no Segundo Império que mudam-se para o Brasil os dois fundadores da virtuosidade pianística nacional: Artur Napoleão, cuja maneira de tocar, nítida, um bocado sêca e brilhante se tradicionalizou no Rio-de-Janeiro,

e Luiz Chiaffarelli, o fundador da escola de piano
paulista. Também então fundam as primeiras sociedades instrumentais como a Filarmônica (1814)
e o Clube Beethoven (1882) no Rio-de-Janeiro, e o
Clube Haydn (1883) sob a direção de Alexandre
Leví, em São Paulo. Ainda importa mencionar,
pelo caráter socializador, os Concertos Populares
(1887) instituídos no Rio por Carlos Mesquita.

Veio a República. O Brasil principiou pela
terceira vez a vida. Mas, desta feita, a música não.
Se acentuou gradativamente a decadência do brilho
exterior. Desapareceram as brigas românticas em
tôrno de cantoras. Os virtuoses estrangeiros célebres continuaram desembarcando aquí, porém o público se desinteressava dêles cada vez mais. Um
ou outro inda consegue ovações, mas as enchentes
se tornaram cada vez mais raras. Já em 1894, Ma-
rino Mancinelli suicidava-se no Rio-de-Janeiro, por
causa do insucesso da sua companhia lírica; e as
temporadas de ópera, que durante a guerra (1914-
-1920) tiveram certo esplendor variado, estão cada
vez mais desmoralizadas. As de agora são mise-
ráveis, verdadeiras mascaradas fingindo arte, a que
uma ou outra manifestação mais elevada não consegue disfarçar.

*Decadên-
cia Repu-
blicana.*

Várias causas boas e... tôdas boas ocasiona-
ram essa decadência de brilho na prática musical do
Brasil. As principais são: a firmação radical; a
libertação virtuosística nacional; o contraste entre
a arte moderna e o povo; a hegemonia de Buenos
Aires na música comercial.

*Expoentes
sociais da
atualidade.*

Buenos Aires é um centro social que se desenvolveu homogêneamente. Se tornou em nossos dias
a representação mais total de cultura que a América

do Sul apresenta. A grandeza da cidade argentina está em que tôdas as manifestações sociais do homem chegaram a um progresso mais ou menos uniforme lá. Por isso o comércio musical, temporadas de virtuoses e de teatro, se baseiam em Buenos Aires. O Brasil, pra êsses virtuoses, é terra de passagem que a gente experimenta pra ver se ganha mais um bocado. E como essa "experiência" não tem como ideal uma conquista, mas ganhar uns cobres a mais, o virtuose estrangeiro que aparece aquï, no geral se limita a mostrar obras com sucesso garantido, isto é, as velharias já tradicionalizadas no gôsto do público. Não há luta, não há ideal, não há interêsse artístico. O público não se educa; a elite artística do país não se interessa; a outra elite vai às vêzes ao teatro por obrigação de moda ou para escutar um virtuose prodigioso. Mas é abalizadamente e cuidadosamente inculta e boceja diante da arte.

**Arte e público.** Êsse mal-estar é aumentado pelo contraste entre a arte e o costume público de arte, contraste natural em tôdas as fases de transição. O público, do que gosta é mesmo das velharias a que já se acostumou. Os artistas verdadeiros já não se contentam mais com elas. O público foge dos artistas verdadeiros. E os artistas verdadeiros, os empresários artistas, desprovidos do apoio público, não vêm pra cá. E por tudo isso nós só temos que contar com os virtuoses e sociedades musicais brasileiros para nos pôr em contacto com a música universal contemporânea. E nesse trabalho se salientam as sociedades sinfônicas do Rio-de-Janeiro e especialmente de São Paulo, como a paulista Sociedade de Concertos Sinfônicos (fundada em 1921) e em seguida o Departamento Municipal de Cultura (1935)

*(marginal notes: Comércio musical. / Arte e público.)*

O filme Musical — O pianista Sousa Lima numa gravação cinemato-
grafada do Instituto Nacional do Cinema Educativo. — Brasil.

O Samba, Pirapora — São Paulo

a cujo esfôrço admirável o Brasil deve numerosas e importantes execuções de música contemporânea no país.

Por outro lado os estabelecimentos de ensino musical, como o Conservatório Dramático e Musical de São Paulo (fundado em 1906), e os professores de piano, canto, violino, disseminados por todo o país, já conseguiram dar à virtuosidade brasileira uma função social que satisfaz as exigências da nação. São numerosíssimos os virtuoses brasileiros "nacionais", quero dizer: êsse gênero de intérpretes, mais útil, mais humano e fecundo, cuja vida artística funciona dentro dos limites da pátria. O virtuose "internacional" na maioria dos casos tem função social mínima. Envaidecido pela habilidade excepcional dos dedos ou da voz que possue, se converte num caso repulsivo de egoísmo. Quer dinheiro e quer aplauso geral. E por isso abusa de programas gastos, sem interêsse, sem função histórica, sem cultura verdadeira. É bem difícil diante dum egoísta dêsses, a gente distinguir o que é interêsse pecuniário, o que é fome de glória. As duas fraquezas são xifópagas e se confundem. A fome de glória em si não é fraqueza, não. E' baixa a dêsses egoístas, fundamentada no prazer epidérmico da gritaria pública aplaudindo.

*Virtuosidade.*

O Brasil também tem produzido virtuoses internacionais de valor. Porém a função nacional dêles é bem pequena. Quando muito fazem a propaganda do nome da pátria na estranja, se é que não se esquecem dêle ou o ocultam muito de propósito. E levados pelos interêsses de camaradagem e outros interêsses, botam nos programas peças e nomes es-

trangeiros (do país em que estão, pra agradar...)
de valor mínimo, ao passo que não executam os
compositores brasileiros, muitas vêzes superiores a
êsses estrangeiros. E antes assim! Porque quando
*concedem* interpretar uma obra ilustre de compositor brasileiro, se dá êsse fenómeno irracional do
carro adiante dos bois: Tôda a gente se admira do
gesto patriótico do virtuose, e o compositor é que
tem de ficar agradecido pela honra, não é o virtuose
que se engrandece por tocar uma obra boa! Como
se a virtuosidade fôsse superior à invenção!...

Nós atualmente possuímos um despropósito de
virtuoses nacionais funcionando dentro do país, ex-
celentes, variados, ativados pela emulação, acamara-
dados com a vida artística daquí, executando em
todos os programas obras nacionais. São verdadeiramente valiosos e nada ficam a dever aos virtuoses
de vida nacional, dos países europeus. Êsses artistas, bem ou mal, vivem e ganham a vida. Os concertos que dão, seja pela razão que fôr, são mais ou
menos concorridos. E o público que concorre a
êles, inda se desinteressa mais pelo virtuose estrangeiro, cujo mérito é apenas executar melhor peças
arqui-cxccutadas. Por isso o público fica em casa
ou vai no cinema. Com razão. E tanto razão a
mais, que no dia seguinte terá de ir no concêrto
de outro virtuose, êste brasileiro, cujo programa
apresenta quatro vêzes mais interêsse, cultura, função social e nacional. Principalmente no canto e
no piano, possuímos atualmente uma coleção mag-
nífica de intérpretes, alguns chegando a rivalizar
com virtuoses internacionais.

Falta falar da firmação racial. No início dêste capítulo afirmei que a música brasileira viveu até 1914, mais ou menos, ainda na subserviência da Europa. Isso não quer dizer, está claro, que não tenha havido tentativas de nos libertarmos dêsse espírito colonial. Foram no geral tentativas esporádicas e individuais que vieram se intensificando pouco a pouco. Mesmo manifestações coletivas tivemos, como a já citada Academia Imperial de Música.

Nacionalismo musical.

Mas no meio de tudo isso a arte nossa perseverava fundamentalmente européia, mesmo entre os nacionalistas que se interessavam pela representação musical da coisa brasileira.

Refletem a preocupação nacionalista: António Carlos Gomes; Alexandre Leví, um anúncio de gênio; e Alberto Nepomuceno, o mais intimamente nacional de todos, cultura boa, invenção fácil mas curta. A êstes é imprescindível ajuntar o nome de Francisco Manuel da Silva, autor do esplêndido Hino Nacional, que é do ano de Abdicação (1831).

Dentre os menos característicos, presos por demais à lição européia, e cujas tentativas de música abrasileirada mais parecem concessão ao exótico, figuram principalmente Leopoldo Miguez, Henrique Osvaldo, Francisco Braga, João Gomes de Araújo, Barroso Neto. Glauco Velasques foi uma experiência inquieta, com lampejos de gênio num resultado precário.

Dominam tôda a música brasileira anterior à época atual, Carlos Gomes e Henrique Osvaldo. São as expressões mais características do nosso romantismo musical.

Carlos Gomes está entre os grandes melodistas do séc. XIX. Gênio dramático de fôrça, êle concentra a expressão na melodia, como era costume na escola oitocentista italiana em que se cultivou. As obras dêle são inexeqüíveis no teatro atualmente, como o são a maioria das obras do passado. Ninguém não representa nem Monteverdi, nem Scarlatti, nem Rameau, nem Hasse, nem Gétry, nem Purcell. Mesmo certas obras valiosas de Gluck, Weber, Rossini, Beethoven, Bellini, Donizetti, Verdi, não se sustentam mais. O teatro é o gênero mais transitório da música. Ao mesmo tempo que restringe a liberdade musical do criador, está muito sujeito às normas sociais do tempo e estas passam no interêsse. Outra precariedade vasta dêle é o tamanho das obras. São raríssimos os melodramas em que a "inspiração" se mantém de princípio a fim. Nas obras dos gênios mais fortes, os "enchimentos" aparecem... ([27]).

---

(27)   A transitoriedade geral da música dramática é mais uma prova de que a música pouco tem de intelectualidade expressiva dos sentimentos. O drama falado não tem idade quanto a valor expressivo. As palavras de que êle é feito, as paixões que utiliza e descreve, comovem sempre (embora as épocas passem), pouco importa si do mesmo jeito, o certo é que com a mesma intensidade. Uma tragédia de Sófocles ou de Goethe, uma comédia de Aristófanes, Shakespeare, ou Lope de Vega, conservam a mesma vitalidade expressiva através dos tempos. A música sendo a mais "pura" das artes, a mais liberta do contingente intelectualmente expressável e interessado do lirismo humano, demonstra bem essa fraqueza dela, e também felicidade, quando aplicada ao teatro. As fórmulas musicais duma época determinada chegam a comover sentimentalmente os contemporâneos dela. Vitória Archilei fazia chorar os seus ouvintes, da mesma forma que Rubini cantando a cavatina da "Sonâmbula"... Mas essa comoção é principalmente convencional, exterior e transitória; não deriva da essência, da propriedade intrínseca, da qüididade da Música. É porque, em tal época, tal elemento musical é tido convencionalmente por dramático, tal por doloroso, tal por cómico, que a música parece sentimentalmente comovente aos que conhecem essas convenções temporâneas e passageiras. Em última análise, é sempre aquela precisão prehistórica

Essa precariedade torna apenas de interêsse histórico uma execução contemporânea de centenas de óperas celebradas. Em 1930 uma cuidadosíssima execução em París, de "Castor e Pollux", a obra-prima de Rameau, caía ante a indiferença geral... As óperas de Carlos Gomes estão nesse caso. Mas isso não embaça a grandeza do gênio dêle. Muitos dos seus cantábiles são perfeitos de equilíbrio plástico de linha, cheios daquela doçura peguenta que especialmente Donizetti e Bellini tinham tradicionalizado na música itálica — primeiro sintoma da banalidade verista. Daquele melodismo, e não desta banalidade, Carlos Gomes é abundante. Afora êsse gênero doce de cantábile, inventava ainda árias magníficas, sem grande profundeza, mas dotadas dum movimento dramático exato e impregnante.

---

de atribuir *Ethos* a cada elemento de *música*, para torná-la intelectualmente compreensível, que determina em máxima parte a eficácia expressiva das músicas. E quando a moda passa, quando a expressividade convencional de tal fórmula, de um processo sonoro se gasta com o uso e a vulgarização êsse comovente das músicas passa também. Assim: o que fica das obras melodramáticas é apenas o que elas possuem de musicalmente artístico. É por isso, com efeito, que ninguém não discute a execução *em concêrto* de árias dramáticas antigas (até de Wagner já...), ao passo que a todos os musicalmente cultos parecerá um desacêrto converter uma ária de Puccini, de Korngold, de Strauss, e outros operistas contemporâneos nossos e *ainda convencionalmente dramáticos*, em peças de concêrto. É que a ária antiga que ficou, ficou não pela dramaticidade compreensiva, mas por causa da musicalidade expressiva e bela que possuía. Pôde porisso virar "música de câmara", entrar no concêrto, ser concebida como *Música Pura*. Ao passo que para o espírito estèticamente educado repugna ainda atualmente escutar Puccini em concêrto, porque Puccini, pra nós, inda está revestido daquele convencionalismo de expressividade sentimental que só o teatro justifica. Dia virá em que os cantores da câmara poderão inscrever nos programas, por exemplo, uma romança da "Boêmia", da mesma forma com que inscrevem hoje uma ária de Haendel. E ninguém protestará...

Muitas vêzes a música dêle se erriça de ritmos e acentos desconhecidos. São elementos estrangeiros, funcionando como exotismo dentro da tamanha influência italiana que fatalizava o músico. Êsses ritmos, êsses acentos, não limitam-se ao cromatismo pueril com que, por antìtese fácil ao diatonismo melódico da ópera italiana, Carlos Gomes novato acompanhou a personalidade de Perí.

É opinião repisada entre nós que Carlos Gomes não tem nada musicalmente brasileiro, a não ser o entrecho de algumas óperas. Mesmo que assim fôsse, êle tinha o lugar de verdadeiro iniciador da música brasileira, porque na época dêle, o que faz a base essencial das músicas nacionais, a obra popular, inda não dera entre nós a cantiga racial ([28]). É ridículo que consideremos como brasileiros os cantos negros, os cantos portugueses (e até ameríndios!), as modinhas, habaneras e tangos do século XIX, e repudiemos um gênio verdadeiro cuja preocupação nacionalista foi intensa.

Basta se observar a vagueza de caráter desta modinha, registrada por Langsdorff, para reconhecer a contradição.

---

(28)  Em peças de aspiração folclorística, como a quadrilha *Espalha Brasas* (IIº Império), são usados temas brasileiros populares de então. Êsses temas freqüentemente são irreconhecíveis por nós de agora, não só porque foram esquecidos, como porque não possuem absolutamente nenhum caráter nacional. O próprio povo ainda turtuveava, desmanchado entre influências e exemplos irredutíveis. O amálgama de tendências ibero-africanas, que hoje caracteriza a musicalidade nacional só se torna evidente dos fins do séc. XIX pra cá.

I

Quando o mal acaba
O bem principia,
Meu sinal acabou
O bem se seguia...
Pois, sim, meu senhor,
Meu mal acabou
Mas penso que vou
De mal a pior.

II

Vem a noite escura
Suceder ao dia,
Depois da tormenta
Vem a calmaria...
Pois, sim, meu senhor,
Meu mal acabou
Mas penso que vou
De mal a pior.

Porém não é verdade que o brasileirismo de
Carlos Gomes tenha se restringido à escolha de
libretos não. Existe porcentagem vasta de italianis-
mo na obra dêle, porém a realidade étnica do músico brasileiro vai além do que julgam levianamente.
No "Guarani", no "Escravo", mesmo nas óperas sôbre libreto europeu como o "Salvador Rosa" ou o

"Condor", notam-se uns tantos caracteres, certas originalidades rítmicas, certa rudeza de melodia desajeitada, certas coincidências com a nossa melódica popular, em que transparece a nacionalidade do grande músico.

Nós hoje não podemos nos inspirar nas obras de Carlos Gomes. Só a vida e as intenções dêle podem nos servir de exemplo. A nossa música será totalmente outra, e dela os traços de Carlos Gomes têm de ser abolidos. Si os moços o desprezarem, afinal das contas está sempre certo, porque as exigências da atualidade brasileira não têm nada que ver com a música de Carlos Gomes. Mas além dessa *atualidade moça*, tão feroz, existe a *realidade* brasileira que transcende às necessidades históricas e passageiras das épocas. E nessa realidade, Carlos Gomes tem uma colocação alta e excepcional.

Quanto a Henrique Oswaldo, é a mais completa figura de músico da geração dêle. Une a uma personalidade de criador fino, sempre delicado, inimigo do áspero e do banal, uma técnica muito larga e perfeitamente assimilada. Algumas das obras dêle, o Trio com piano, a Sinfonia op. 43, quartetos, muitas das peças de canto e de piano, são notáveis pela perfeição de feitio, equilíbrio e lógica de conjunto, graça de invenção: obras-primas legítimas.

Henrique<br>Osvaldo.

# Capítulo XII

# MÚSICA POPULAR BRASILEIRA

**Elementos exóticos.**

Ao lado de todo êsse movimento histórico em que a música artística se manifestava, no Brasil, mais por uma fatalidade individualista ou fantasia de elites que por uma razão de ser social e étnica, principiou tomando corpo no séc. XIX uma outra corrente musical, sem fôrça histórica ainda, mas provida de muito maior função humana: a música popular.

Não sabemos nada de técnico sôbre a música popular dos três séculos coloniais. Um povo misturado, porém inda não amalgamado, parava nas possessões que Portugal mantinha por aqui. Êsse povo feito de portugueses, africanos, ameríndios, espanhóis, trazia junto com as falas dêle as cantigas e dansas que a Colónia escutava. E foi da fusão destas que o nosso canto popular tirou sua base técnica tradicional.

**Influência Ameríndia.**

O que tirou do aborigene? Não sabemos quase nada de positivo. O chocalho, empregado como obrigação nas orquestrinhas maxixeiras, não passa

**Chocalho.**

duma adaptação civilizada de certos instrumentos ameríndios de mesma técnica, por exemplo o maracá, dos tupís.

**Forma.**

Certas formas poéticas obrigando o canto a uma conformação especial de fraseado, usadas ainda, principalmente no Nordeste, foram decerto influência ameríndia. Barbosa Rodrigues registra uma boa

porção de cantos brasílicos, cuja forma se caracteriza
por seguir a cada verso da estrofe um refrão curto:

> *Cha munhon muracé,*
> *Uacará.*
> *Cha ricó de "patrão",*
> *Uaracá.*

Êsse processo tem parentesco evidente com muitos cantos atuais. Eis algumas manifestações contemporâneas, semelhantes ao processo brasílico:

> *Che re raçõ arama,*
> *Uaracá.*
> Solo: — *Ôh li-li-li-ô!*
> Côro: — *Boi Tungão!*
> Solo: — *Boi do Maioral!*
> Côro: — *Boi Tungão!*
> Solo: — *Bonito não era o boi...*
> Côro: — *Boi Tungão!*
> Solo: — *Como era o aboiar,*
> Côro: — *Boi Tungão!*
>                 etc.
>
>        (Colhido no Rio-Grande-do-Norte).

> *Você gosta de mim,*
> *Maria,*
> *Eu também de você.*
> *Vou pedir pra seu pai,*
> *Maria,*
> *Pra casar com você,*
> *Maria,*
>
>        (Colhido em São Paulo).

> *Vou-me embora, vou-me embora,*
> *Prenda minha,*
> *Tenho muito que fazer;*
> *Tenho de ir parar rodeio,*
> *Prenda minha,*
> *Nos campos do Bem-querer!*
>
>        (Rio-Grande-do-Sul).

Não tem dúvida que fórmulas parecidas com
estas freqüentam o folclore português e hispano-
-americano às vêzes (mesmo o "prenda mia" aparece nos hispano-americanos do Sul); porém a siste-

matização do refrão curto, duma só palavra, repetido no fim de cada verso (até coincidindo a escolha freqüente de nomes tirados da fauna, pra fazer o refrão) possìvelmente é reminiscência de maneira ameríndia.

**Cateretê.**    Entre as nossa formas coreográficas, uma das mais espalhadas é o Cateretê ou a Catira, dansa de nome tupí. Anchieta pra catequizar os selvagens já se aproveitava dela, parece, deformando-lhe os textos no sentido da Religião Católica. Caso mais indiscutível ainda dessa fusão ameríndio-jesuítica é o do Cururú. Em certas festas populares, religioso--coreográficas, tais como a dansa de São Gonçalo e a dansa de Santa Cruz, pelo menos nos arredores de São Paulo, após cada número do cerimonial, dansa-se um cururú. Ora os processos coreográficos desta dansa têm tal e tão forte sabor ameríndio, pelo que sabemos de dansas brasílicas com a cimematografia atual, que não hesito em afirmar ser o cururú uma primitiva dansa ameríndia, introduzida pelos jesuítas nas suas festas religiosas fora (e talvez dentro) do templo. E êsse costume e dansa permaneceram vivos até agora.

**Nasalação.**    Nossa raça está fortemente impregnada de sangue guaraní. Os brasílicos empregavam e empregam freqüentemente o som nasal, cantando. Esta nasalação do canto é comum inda agora em quase todo o país, embora seja possível distinguir pelo menos dois timbres nela, um de franca origem africana, outro já peculiarmente nosso.

**Assuntos.**    A tendência para o canto amoroso é dominantíssima em Portugal. No fim do séc. XVIII o viajante M. Link constatava que "as cantigas do povo português são queixosas; no geral contam penas de amor, raramente são sensuais e muito pouco satíri-

cas". Pois essa tendência foi fortemente contra-
riada aquí. Si a pena de amor freqüenta bem a
cantiga brasileira (como aliás freqüenta a cantiga
de todos os povos do mundo), ela não toma entre nós
uma predominância absoluta. Chegou mesmo a se
domicilar em certas formas particulares: a Modinha
que geralmente é queixume e a Toada cabocla. O
Lundú, pelo contrário, no geral trata o amor còmica-
mente. Algumas vêzes é senvergonhamente sensual.
Porém nas outras formas, a variedade de assunto
é vasta. No meu "Ensaio sôbre Música Brasileira",
um despropósito dos documentos expostos não tra-
tam de amor. Não vou até afirmar que isso pro-
venha de influência ameríndia exclusiva, porém
inda aquí me parece incontestável que os temas
quase nada amorosos do ameríndio, e o sangue dêle
correndo em nós, levaram a gente a uma contem-
plação lírica mais total da vida.

Também os "Cabocolinhos", os "Caiapós", etc.,
nomes de vários bailados atuais do país, são de **Bailado.**
inspiração diretamente ameríndia, e às vêzes, re-
presentam cenas da vida tribal. E essa mesma
inspiração transparece em certos ritos feiticeiros
da religiosidade nacional, como o Catimbó nordestino e a Pagelança nortista.

E também em várias formas do nosso canto popular, até em cantos dansados, é freqüente o movimento oratório da melodia, libertando-se da quadratura estrófica e até do compasso. Nos Martelos, nos
Côcos, nos Desafios, o ritmo discursivo é empregado.
Donde nos veio isso? Do português não veio. Fre- **Ritmo.**
qüenta a música afro-brasileira dos Lundús, porém
com raridade. Nos ameríndios é constante.

Porém sôbre isso nasce uma pergunta. Aparecem, quando senão quando, no canto popular brasi-

leiro, frases oratórias, livres de compasso, e que até
pelo desenho melódico se assemelham a fórmulas de
cantochão. Não será possível a gente imaginar uma
sobrevivência do gregoriano em manifestações assim?
A parte dos padres foi enorme na formação da vida
brasileira. Quais eram os cantos que êles cantavam
e faziam os índios cantar nos dois primeiros séculos?
Na certa muitos eram peças gregorianas. Si não
possuímos provas textuais disso, elas existem alhu-
res. O estabelecimento muito cedo da imprensa,
no México, nos conservou a "Salmodia" (1583) de
frei Bernardino de Sahagún, em que há melodias
gregorianas introduzidas nos Areítos dos nativos.
Até hoje as peças gregorianas são empregadas po-
pularmente e prodigiosamente deformadas em nosso
país todo. Não tem moça possuindo voz cantante,
nem menino cantador, que não sejam colhidos pelos
padres, nas vilas e povoados do interior, pra engro-
lar um Credo e um Glória em cantochão. Uma
feita, em Fonte-Boa, no Amazonas, eu passeava sob
um solão de matar. Saía um canto feminino duma
casa. Parei. Era uma gostosura de linha melódica, monótona, lenta, muito pura, absolutamente
linda. Me aproximei com a máxima discrição, para
não incomodar a cantora, uma tapuia adormentando
o filho. O texto que ela cantava, língua de branco
não era. Tão nasal, tão desconhecido, que imaginei
fala de índio. Mas era latim... de tapuio. E o
Acalanto não passava do Tantum Ergo em cantochão. Uma sílaba me levou pra outra e, mais in-
tuïção que realidade, pude reconhecer também a
melodia. A deformação era inconcebível. Porém,
jamais não me esquecerei da comoção de beleza que
recebí dos lábios da tapuia. O cantochão vive assim espalhadíssimo nos bairros, nas vilas, por aí

tudo no interior. Será possível talvez perceber na liberdade rítmica de certos fraseados do nosso canto, e mesmo em algum dos seus arabescos melódicos, uma influência gregoriana.

A influência portuguesa foi a mais vasta de tôdas. Os portugueses fixaram o nosso tonalismo harmônico; nos deram a quadratura estrófica; provàvelmente a síncope que nos encarregamos de desenvolver ao contacto da pererequice rítmica do africano; os instrumentos europeus, a guitarra (violão), a viola, o cavaquinho, a flauta, o oficicleide, o piano, o grupo dos arcos; um dilúvio de textos; formas poético-líricas, que-nem a Moda, o Acalanto, o Fado (inicialmente dansado); dansas que-nem a Roda, infantil; dansas iberas que-nem o Fandango; dansas-dramáticas que-nem os Reisados, os Pastorís, a Marujada, a Chegança, que às vêzes são verdadeiros autos. Também de Portugal nos veio a origem primitiva da dansa-dramática mais nacional, o Bumba-meu-Boi.

E em várias cantigas, populares tradicionais ou modernas do Brasil, até agora aparecem arabescos melódicos lusitanos, ora puros, ora deformados ([29]).

*Influência portuguesa*

---

(29) E' curioso notar, porém, que o mais importante da herança musical portuguesa é europeu e não exatamente lusitano, tonalidades, harmonia, ritmos, etc. A própria guitarra portuguesa não se aclimou entre nós, e lhe preferimos a guitarra espanhola, nosso querido violão... O que mais incorporamos à nossa música popular foram os textos das canções, sejam acalantos, rodas, quadrilhas sôltas e os já quase inteiramente esquecido "romances velhos". A respeito de quadrinhas sôltas, então se muitas foram modificadas aqui e adaptadas antropogeogràficamente à nossa realidade, é incontestável que a nossa produção parece muito diminuta.

Em todo caso há que considerar a reciprocidade de influências. E' certo que o Brasil deu musicalmente muito a Portugal. Lhe demos a sua dansa e canção popularesca mais conhecida, o fado. Provàvelmente lhe demos a modinha também. Em todo caso é certo que a "modinha brasileira". assim chamada em Portugal, obteve lá um sucesso formidável, era a preferida de viajantes como de reinós. Ainda lhe demos parte da nossa rítmica, por exemplo, o ritmo chamado "tangana", americano, peculiar da habanera. E em numerosas

**Influência africana.**    O africano também tomou parte vasta na formação do canto popular brasileiro. Foi certamente ao contacto dêle que a nossa rítmica alcançou a variedade que tem, uma das nossas riquezas musicais. A língua brasileira se enriqueceu duma quantidade de têrmos sonorosos e mesmo de algumas flexões de sintaxe e dicção, que influenciaram necessàriamente a conformação da linha melódica. Até hoje surgem cantos, principalmente dansas cariocas e números de Congos e Maracatús, em que aparecem palavras africanas. Do dilúvio de instrumentos que os escravos trouxeram para cá, vários se tornaram de uso brasileiro corrente, que-nem o Ganzá, Puíta ou Cuíca e o Tabaque ou Atabaque. Instrumentos quase todos de percussão exclusivamente rítmica, êles se prestam a orgias rítmicas tão dinâmicas, tão incisivas, contundentes mesmo, que fariam inveja a Stravinski e Vila-Lôbos. Tive ocasião de assistir, no Carnaval do Recife, ao Maracatú da Nação do Leão Coroado. Era a coisa mais violenta que se pode imaginar. Um tirador das toadas e poucos respondedores coristas estavam com a voz completamente anulada pelas batidas, fortíssimo, de doze bombos, nove gonguês e quatro ganzás. Tão violento ritmo que eu não o podia suportar. Era obrigado a me afastar de quando em quando para... pôr em ordem o movimento do sangue e do respiro. O Landú ou Lundú foi inici-

coletâneas musicais folcloricas de Portugal, não é raro a gente encontrar peças que o anteologista reconhece serem peças idas do Brasil para lá.

Quanto ao caso de Pastorís, Marujadas e Cheganças de Mouros, si a idéia tradicional é portuguesa e nelas é possivel assinalar um romance velho como a "Nau Catarineta", algum verso português ou melodia aportuguesada, não é menos certo que, tais como existem, êstes autos e dansas-dramáticas foram construídos integralmente aqui, textos e músicas, e ordenados semi-eruditamente nos fins do séc. XVIII, ou princípios do século seguinte.

Coral Paulistano com Camargo Guarnieri na regência. — Dep. de Cultura

São Gonçalo Violeiro — escultura popular em madeira venerada
na Dansa de São Gonçalo. — São Paulo — Col. M. de A.

almente uma dansa africana "a mais indecente" diz
De Freycinet. E quase sempre no texto, "Eu gos-
to da Negra", "Ma Malia" (vide meu "Ensaio" citado), "Mulatinha do Caroço no Pescoço", o lundú
ainda guarda memória da origem africana.

Si nos movimentos coreográficos de certas dansas-dramáticas nossas, inda é possível distinguir processos de dansas cerimoniais ameríndias, tais como
as descritas por Léry, Martius e outros: o jeito africano muito lascivo de dansar, permaneceu na índole
nacional. As dansas mais generalizadas de tôda a
América são afro-americanas: o Maxixe, o Samba, a
Habanera, o Tango, o Foxtrote.

Também dansas-dramáticas os negros criaram
aqui, num misto de saüdade dos seus cortejos festivos
da África e imitação dos autos portugueses. Os Maracatús e os Congos são as que predominaram mais
até agora. Muitos dos nossos cantos de feitiçaria,
tão bonitos e originais, também são de influência ge-
nuïnamente africana.

Parece que a música foi o derivativo principal
que os africanos tiveram no exílio da América. In-
nundaram o Brasil de cantos monótonos. Os brancos,
cuja vida não tinha onde gastar dinheiro (Capistrano
de Abreu), mostravam a riqueza pelo número de
escravos. Dêstes, os que sobravam em casa, eram
mandados sós e principalmente aos grupos ganhar
para os senhores, fazendo comissões, transportando
coisas de cá para lá, nas cidades. Pra uniformizarem
o movimento em comum e facilitar assim o transporte
das coisas pesadas, cantavam sempre e "as ruas res-
soavam, ecoando a bulha das vozes e das cadeias"
(Foster; L. Luccock; príncipe de Wied). Os negros
escravos e os mulatos se especializavam mesmo na

13

música. Manuel Querino, relatando as ocupações dos escravos na Baía, escreve textualmente: O escravo "não tinha tempo a perder; nas horas vagas estudava música, de oitiva...". Alexandre Calcleugh registra o seguinte anúncio carioca "Quem quizer comprar hum Escravo proprio para Boliero, que sabe tocar Piano e Marimba e alguma cousa de Música e com princípio de alfaiate, derejase á botica da Travessa da Candelaria, canto da rua dos Pescadores, n. 6". De Freycint cita Joaquim Manuel, cabra tão cuera no violão que deixava longe qualquer guitarrista europeu. O nosso talvez maior modinheiro do século XIX, Xisto Baía, era mulato. Por tudo isto é fácil de perceber que a influência negra foi decisiva na formação da nossa música popular.

**Influência espanhola.**     Outra influência vasta foi a dos espanhóis. Nossa música possue muitos espanholismos que nos vieram principalmente por meio das dansas hispano-africanas da América: Habanera e Tango. Estas formas dominaram fortemente aquí na segunda metade do séc. XIX, e foram, junto com a Polca, os estímulos rítmico e melódico do Maxixe. Nesse tempo a Habanera se espalhou formidàvelmente pela América tôda. Eis uma introdução instrumental de Habanera peruana oitocentista, que se liga diretamente às introduções, de maxixes nossos:

(Alberto Friedenthal, "Stimmen der Völker," III Berlim)

Na realidade, foi de uma complexa mistura de elementos estranhos que se formou a nossa música popular. E não dei todos. A modinha, ao contacto da valsa européia, modificou-se profundamente. Hoje em dia bom número das modinhas populares são em três-por-quatro e valsas legítimas. A polca, a mazurca, a schottish se tornaram manifestação normal da dansa brasileira. A modinha algumas vezes se reveste do corte rítimico da chotis. Nos Fandangos "bailados" dos caipiras paulistas de Cantanéia (mais distintos que os "batidos", em que existe bate-pé e bate-mão), me informaram que, sob outros títulos, subsistem ainda a figuração coreográfica da valsa (Rocambole, Chamarrita), da Polca (Dandão), da mazurca (Faxineira). Às vêzes em nosso canto passam acentos nórdicos, suecos, noruegueses... Como que vieram parar aquí? Acentos idênticos também se encontram em Portugal e principalmente Espanha.

Às vêzes um canto nosso é... russo duma vez. Outras vêzes é um canto russo que, mudando as palavras, todos tomariam por brasileiro. Se observe a brasilidade enorme desta versão do canto "Troyka", me dada pelo pintor russo Lasar Segall:

*Outras influências.*

Tantas e mais influências vinham e vêm ainda ornar a nossa raça nascente. Rara também muito misturada, o certo é que demonstrava desde logo forte musicalidade. Grande número de viajantes estra-

*Musicalidade nacional.*

nhos atestaram a propensão do brasileiro para a música. Von Weech afirma que "a musicalidade é inata no povo" (do Brasil); e lamenta a nossa ignorância e leviandade, que não nos deixa completar estudos musicais sérios e nos leva a fazer música "quase como os canários. Saint-Hilaire, assistindo em Minas uma ópera composta e representada por brasileiros, comenta que "não tem nada de extraordinário a gente esbarrar com músicos no Brasil, pois qualquer vila os possue". Schlichthrdst, comentando a psicologia do penetra de assustados, no Rio-de-Janeiro, diz que a especialidade dêle é "possuir talento musical" — o que o torna logo tratado por todos na palminha das mãos. E reconhecendo embora que não havia então, no país, virtuoses excepcionais, verifica que "todos os brasileiros sem exceção gostam da música". Martius também comentando jocosamente em 1817 uma representação em São Paulo da opereta "Le Déserteur" (provàlmente a ópera cómica de Monsigny?) por mulatos e pretos, afirma em seguida que guarda "opinião muito favorável sôbre o talento musical dos paulistas". E seguem assim os viajantes, unânimes em louvar a musicalidade do brasileiro. Essa musicalidade é real; porém, até agora deu melhores frutos no seio do povo inculto que na música erudita. Muito mal nos está fazendo a falta de cultura tradicional, a preguiça em estudar, a petulância mestiça com que os brasileiros, quer filhos d'algo, filhos de bandeirantes ou de senhores de engenhos, quer vindos pròximamente de italianos, de espanhóis, de alemães, de judeus russos, se consideram logo gênios insolúveis, por qualquer habilidade de canário que a terra do Brasil lhes deu. Nos consola é ver o povo inculto criando aquí u'a música nativa que está entre as mais belas e mais ricas.

Pois colhendo elementos alheios, triturando-os na **Formas.** subconciência nacional, digerindo-os, amoldando-os, deformando-os, se fecundando, a música popular brasileira viveu todo o séc. XIX, bem pouco étnica ainda. Mas no último quarto do século principiam aparecendo com mais freqüencia produções já dotadas de fatalidade racial. E, no trabalho da expressão original e representativa, não careceu nem cinqüenta anos: adquiriu caráter, criou formas e processos típicos. Manifestações duma raça muito variada ainda como psicologia, a nossa música popular é variadíssima. Tão variada que às vêzes desconcerta quem a estuda. As formas principais que emprega são: na lírica a Moda, a Toada, e o Romance, de caráter rural; a Modinha e o Lundú, no geral de caráter urbano. Na dansa: o Maxixe, fixado no Rio-de-Janeiro no último quarto do séc. XIX; o Cateretê; a Valsa; o Samba, ou Baïano, como é chamado atualmente no Nordeste. Na dansa-dramática se distingue o Bumba--meu-boi (Nordeste) ou Boi-Bumbá (Amazônia) em que as fadigas do pastoreio se transformaram em arte, celebrando ritualmente a morte e ressurreição do boi. Subsistem ainda, bem generalizados no país, os Congons e os Congados, bem como, da Baía para o norte especialmente, os bailados de vários nomes populares, que celebraram as lutas de cristãos e mouros, e os trabalhos do mar. E pela importância que podem ter, resta citar entre as dansas-dramáticas, os Reisados de Natal, os Cabocolinhos e os Maracatús carnavalescos. Uma forma de canto social importante é o Côco, existente em todo o Nordeste, utilizando sistemàticamente o processo responsorial, solo e côro. Quase sempre dansado.

Os instrumentos da preferência popular são: fora da cidade, a Viola, a Sanfona, o Ganzá, a Puíta; na cidade o Violão, a Flauta, o Oficleide, a Clarineta e ùltimamente o Saxofone, por influência do Jazz, além da percussão. Possuímos agrupamentos orquestrais típicos. Alguns já registrei no meu "Ensaio" citado. Luciano Gallet registra como agrupamento característico das Serestas e Choros cariocas a composição: Clarineta, Oficleide, Flauta, Trombone, Cavaquinho, Bateria. Nos Bois nordestinos o acompanhamento tradicional é rebeca e viola. Nos Côcos só aparece a percussão, representada pela puíta, o munganguê, o reco-reco e o ganzá.

"Choros", "Serestas", são nomes genéricos aplicados a tudo quanto é música noturna de caráter popular, especialmente quando realizada ao relento. O Chôro implica no geral participação de pequena orquestra com um instrumento mais ou menos solista, predominando sôbre o conjunto.

Uma fonte importante da música popular é a feitiçaria com suas cerimônias em que o canto e a dansa dominam. Nos cultos de direta origem africana (Candomblé, Macumba, Xangô) até hoje se consegue recolher música orinalíssima como caráter, que, sem ser legìtimamente africana, foge bastante das nossas constâncias melódicas populares. Também no Catimbó nordestino, numerosos cantos são de notável originalidade de caráter, sem que nos seja possível atribuir a qualquer tradição ameríndia, base de inspiração dêsse culto, essa originalidade musical.

As manifestações popularescas que tiveram maior e mais geral desenvolvimento são, desde o século pas-

sado, as modinhas, os maxixes e sambas urbanos que
andam profusamente impressos. No séc. XIX dis-
tinguiram-se mais como inventores de modinhas, Xisto
Baía, que era também ator, Mussurunga, Almeida
Cunha, Carlos Dias da Silva, Soares Barbosa. Nos
maxixes, salientaram-se duas figuras valiosas: Ernesto
Nazaré, fixador do maxixe de caráter carioca, e Marcelo Tupinambá que deu a essa dansa uma expressão
mais geral, entre cabocla e praceana. Especiali-
zaram-se ainda Donga, Sinhô e Noel Rosa, as figuras contemporâneas mais interessantes do samba impresso. Menção especial deve ser feita a Francisca
Gonzaga, tipo curioso de compositora cujas dansas e
cantigas, muitas dotadas de caráter brasileiro forte,
mereciam maior atenção e respeito aquí. A atividade musical dela é tìpicamente oitocentista. Figuram com destaque entre os nossos compositores de
operetas e revistas do Segundo Império: Henrique
Alves de Mesquita, Ábdon Milanez, F. Alvarenga,
Cardoso de Menezes. Entre os cantadores contemporâneos corre a fama de Manuel do Riachão, nordestino diz-que invencível no desafio. Catulo Cea-
rense, tipo rastacuera de nordestino carioquizado, gênio sem eira nem beira, tanto na modinha como especialmente na toada e também no romance, inventou
algumas das mais admiráveis criações da poesia cantada popularesca.

*Figuras re-
presentati-
vas.*

CAPÍTULO XIII

# ATUALIDADE

Nem bem a guerra de 1914 terminou, tôdas as artes tomaram impulso. Houve influência da guerra nisso? Está claro que houve. Os quatro anos de morticínio, pode-se dizer que universal, tiveram o dom de precipitar as coisas. Surgiram governos novos, sistemas renovados de ciências, assim como artes novas. A forma principal com que se manifestou êsse precipitar de ideais humanos, foi êles se generalizarem universalmente e assumirem uma tal correspondência com a atualidade, que o que não se relacionava com essas manifestações, cheirava a século dezenove, cheirava a môfo, era passadismo. Teve um momento, rápido momento desilusório, em que o mundo viveu duma realidade verdadeiramente universal. A universalização das idéias novas ou renovadas de religião, de política, de ciências, de artes foi tão forte; a preocupação sedenta, inquieta do Universal foi tamanha, que a gente podia concluir que o homem tinha realizado a universalização espiritual da terra. Mas tudo se acalmava porém... Os espíritos foram adquirindo conciência mais profunda dos ambientes; e uma vontade de se tornar menos idealista e mais eficaz, levou os artistas a circunscreverem no possível a manifestação dêles. Se colocaram os pontos nos ii. As celebridades foram julgadas novamente. E no meio de muita festa, no meio da fome

de divertimento e brincadeira que agora tomou o
mundo (como toma em tôda as épocas em que uma
civilização se acaba), compreendemos melhor o que
havia de russo em Stravinski, de ianque no jazz-
-band, de italiano no futurismo de Rússolo, de alemão no expressionismo de Schoenberg. Se deu mesmo uma nova exacerbação nacionalista que para muitos países não tinha razão de ser, foi patriotada pura,
foi política armamentista, e de que não participaram
os espíritos mais elevados do tempo. Na conduta
dum Stravinski, dum Schoenberg, dum Pizzetti, dum
Manuel de Falla, o elemento nacional entra como fatalidade e não como programa. A pesquisa do caráter nacional só é justificável nos países novos, que-
-nem o nosso, ainda não possuindo na tradição de
séculos, de feitos, de heróis, uma constância psicológica inata.

**Sentimento nacional.**

Mas importante dessa calma e pesquisa nova,
foi tornar evidente ao espírito do homem o que tem
de relativo na contemporaneidade universal. Pelo
menos por enquanto, uma atualidade universal não
existe pròpriamente. Cada país, principalmente cada raça e cada civilização têm, no momento, suas
exigências especiais e específicas, que dão pra cada
nação uma contemporaneidade nacional mais importante que a universal, que é vaga, idealista e bastante
inútil. E cada artista principiou por isso funcionando de novo em relação a essa contemporaneidade nacional, mais próxima dêle. Nisso nós não fizemos
em música, mais que acentuar o movimento nacionalista que, no séc. XIX principiara criando escolas nacionais.

Hoje, a existência das três escolas *universais*, italiana, alemã e francesa não correnponde a nenhuma

universalidade, não satisfaz a ninguém. Existe um dilúvio de "escolas" nacionais, sôbre as quais as três citadas não têm sinão a prevalência de tradição e duma organização social mais completa. O músico português quer ser português, o brasileiro quer ser brasileiro, o polaco: polaco, o africano: africano (Coleridge-Taylor).

Festivais.    E êsse nacionalismo é posto em evidência e mesmo acentuado pelos festivais de música, tanto nacionais como internacionais, muito desenvolvidos depois da guerra. Os grandes festivais de música se originaram no início do séc. XVIII, com os Sons of the Clergy Festivals, da catedral de São Paulo, em Londres. O costume logo se desenvolveu muito nos países germânicos, Alemanha, Áustria, Suíça, e já se fêz menção, atrás, das temporadas de Bayreuth. A exemplo dêste culto de Wagner, a Áustria também se lembrou de cultuar Mozart, realizando em honra e para execução dêste, festivais ânuos em Salzburgo, sua cidade natal. Êstes festivais, sistematizados desde 1917, se desenvolveram tanto que deram origem, em 1923, à Sociedade Internacional de Música Contemporânea (S. I. M. C.), com sede em Londres. Os festivais da S. I. M. C., bem como os concertos e concursos promovidos pela milionária americana Elizabeth Coolidge, têm sido os maiores propulsores de música moderna e de intercâmbio musical. A exemplo da S. I. M. C. a Itália também organizou o seu Maio Florentino, nêle acrescentando às execuções musicais, congressos de musicologia também. E a América do Norte responde a êsse movimento europeu com os seus festivais de música nacional em Yaddo.

Dentro dêsse movimento associativo, se precipitaram os movimentos de transformação musical, acentuados desde as invenções dos últimos oitocentistas. Invenção musical nova pode-se dizer que não houve nenhuma nos processos de compor. O depois-da--guerra o que fêz, foi generalizar ràpidamente um espírito novo, que veio justificar e dar expansão aos processos aparecidos nos dois decênios anteriores a 1914.

O que caracteriza pois a fase musical em que estamos? O romantismo fôra a fase harmônica por excelência. O enriquecimento, a complicação da harmonia causada pelos processos de Wagner, César Franck, Strauss, Debussy, trouxe como conseqüência a destruïção da harmonia. A harmonia se baseia na tonalidade, isto é, numa escala criada conforme certas exigências acordais que provocam hierarquia entre os graus. A harmonia é o reino do Do Maior. Esta tonalidade pode ser transportada para qualquer grau, que então assume o pôsto de tônica, porém é única. Isso é tão verdade que Maurice Emmanuel mostra que o modo menor não deixa de ser insatisfatório na construção do movimento tonal da fuga. O desenvolvimento da Escola Russa, a exacerbação do exotismo, tinham pôsto em prática, no romantismo. os modos asiáticos, os do norte da África, as escalas deficientes e a escala por tons inteiros de que Debussy fêz largo uso. Todos êsses sistemas de sons vinham diretamente se contrapor às exigências da harmonia tradicional, obrigavam a contemporizações, a verdadeiros sofismas na harmonização — porque de fato êles destruíam o conceito da harmonia. E com efeito, ao mesmo tempo que, por se libertarem da fôrma do do maior, provocavam a criação de ou-

Harmonia.

tras escalas, também tornavam possível imaginar acordes que não fôssem mais construídos por superposição de têrças, como a harmonia legislava, mas de quartas, quintas e segundas. Tudo isso se deu. Schoenberg, na "Sinfonia de Câmara" op. 9, constrói sistemàticamente as harmonias por meio de quartas superpostas. E são variadíssimas as escalas praticadas atualmente. Eis algumas:

Escala por tons inteiros
(Debussy)

ESCALA ATONAL
(Schoenberg)

ESCALA FREQÜENTE
no Brasil
(Modo Hipofrígio)

ESCALA OCORRENTE
no populário brasileiro
(Modo Hipolídio)

ESCALA SEM SENSÍVEL
bastante comum no
populário brasileiro

Além de escalas numerosas, os efeitos cromáticos generalizados, a sistematização de acordes alteradíssimos e de interpretação variável, provocaram uma complexidade tonal tamanha que Guido Alaleona pôde chamar essa verdadeira anarquia tonal, de "Tonalidade Neutra". O notável compositor Lázaro Saminski chegou a dar um nome novo aos sistemas que empregava, chamou-os de Livre Maior e Livre Menor. Assim a "Sinfonia das Alturas", op. 19, que é escrita em Si Livre Maior. E explica que os Livres são designações pra "tonalidade que, tendo um emprêgo livre e ilimitado de qualquer harmonização sôbre os graus de suas escalas tonais, gravitam em tôrno duma certa base maior ou menor".

A escritura musical se complicou muito com tudo isso e não são as medidas pequenas tomadas ùltimamente que satisfazem. Na notação das partituras de orquestra o emprêgo de armaduras-de-claves diferentes para os instrumentos transpositores (clarineta em Si Bemol, corno em Fá, trompa em Do, etc.) continua uma complicação pomposa que permite o exame das partituras só aos iniciados. A culpa disso em grande parte é dos construtores dêsses instrumentos aliás... Certos compositores (como Schoenberg na op. 34) já estão se revoltando contra essa prática e escrevendo para instrumentos transpositores como se estivessem em Do. A Casa Ricordi também pôs em uso nas suas edições uma clave de tenor, complicada e de mera satisfação intelectualista. O individualismo romântico, por outro lado, está levando os compositores ao emprêgo de sinais personalíssimos de expressão e execução, que diferem de compositor para compositor (Stravinski, "História do Soldado"; Vila-Lôbos, etc). Êsse individualismo, pra indicar com

A Notação.

mais claridade o movimento das partes musicais, que
às vêzes não se movem mais por *solos* de sons sòzinhos
consecutivos, porém por *solos* de acordes consecutivos,
levou na escritura de instrumentos polifônicos, que-
-nem o piano, a se escrever não mais em duas pautas,
mas em três, quatro e cinco pautas ("Toada Triste"
de Camargo Guarnieri), dificultando a leitura. E
essa dificuldade inda é aumentada, às vêzes, por levar cada uma dessas pautas uma armadura de clave
distinta, quando as partes da polifonia estão em tonalidades diferentes. No meio dessa barafunda só
mesmo uma prática nova está se generalizando. Como na maioria as obras não têm mais uma tonalidade
principal, e não só vivem em modulação perpétua
(quando inda modulam!) como principiam numa tonalidade e acabam noutra (quando têm tonalidade!), desistiu-se de armadura-de-clave. No geral a
clave não traz mais sustenidos nem bemóis. Porém isso
ocasionou uma complicação prodigiosa e fatigante.
Os bemóis, bequadros, sustenidos, bemóis e sustenidos duplos, às vêzes chegam a ser tão numerosos quanto as notas. Enfim a notação atual carece de se modificar profundamente porque está se tornando um
verdadeiro obstáculo ao desenvolvimento musical.

    Chegados os harmonistas românticos à exacerba-
ção da habilidade interpretativa dos acordes e das
modulações com as obras do primeiro decênio dêste
século (Debussy, Ravel, Strauss, Scriabin), a harmonia virtualmente estava desautorizada. Os modernos,
para lhe dar aperência nova de vida, e em verdade
lhe dando o golpe de misericórdia, criaram duas novas orientações harmônicas, das quais aliás os primeiros pruridos já são encontráveis nos românticos, a
Atonalidade e a Politonalidade. A Atonalidade é a

Atonalida-
de e Poli-
tonalidade.

solução suprema do cromatismo. Foi pela primeira vez determinada pelo austríaco Arnoldo Schoenberg (com o "Segundo Quarteto" com canto, de 1908). Baseia-se na Escala de Doze Sons, todos com intervalos consecutivos de semitom: a escala cromática. A Atonalidade não reconhece pois a existência da Tonalidade. Hoje é vastìssimamente usada (Schoenberg, Kreneck, Hindemith, Honegger, Bela Bartok, Obuhow, Webern, etc.). A Politonalidade (Ígor Stravinski, Lourenço Fernandes no "Quinteto de Sôpro", Francisco Mignone nas "Fantasias Brasileiras" e no bailado "Maracatú de Chico-Rei", Camargo Guarnieri na "Suíte Infantil", Dario Milhaud, Caselha...), cujo conceito e nome se desenvolveram na França, reconhece as tonalidades e as emprega simultâneamente. Assim, além dos sons simultâneos da harmonia, além dos ritmos e melodias simultâneas da polifonia, hoje se emprega também tonalidades simultâneas. E não é tudo. Além da Atonalidade e da Politonalidade, há que considerar o que Machabey chamou de "Tonalidade fugitiva". E o processo (Hindemith), que, sem fugir sistemàticamente do senso tonal, e sem modular segundo os princípios da harmonia, emprega alterações nos graus importantes da tonalidade (4.º, 5.º e até 1.º). Se dá com isso uma evasão total contínua, e, como observou Machabey, isso comporta a destruïção do conceito clássico da modulação. A modulação consiste na passagem duma tonalidade fixa para outra tonalidade fixa — coisa absurda dentro da tonalidade evasiva, que vive a fugir de si mesma. Manifestação curiosa da Tonalidade Evasiva é a deformação tonal imposta por Vila-Lôbos à melodia popular que empregou no "Cavalinhos de Pau" ("Prole do Bebê n.º 2").

Tudo isto afinal desacreditou totalmente a harmonia clássica, que continua sendo empregada teòricamente só por timidez e respeito falso do passado. A harmonia clássica se fundava na aceitação dos conceitos de consanância e dissonância. Ora hoje êstes conceitos prática e mesmo teòricamente desapareceram. Todos os sons podem vir juntos. Não têm consanâncias nem dissonâncias. Uma dissonância pode ser agradabilíssima. Uma consonância, repugnante. Tudo depende da lógica da invenção, do movimento das partes, da côr instrumental (30). Abandonando pois a distinção entre consonância e dissonância, distinção falsa que João Sebastião Bach já pràticamente desrespeitava, os modernos só concebem

---

(30) Recentemente ainda o compositor Francisco **Mignone** observava comigo a impossibilidade absoluta de terminar o Segundo Tempo da sua "Sonata" para piano com a tríade tonal. Diante da evolução lógica harmônica da obra, o acorde de Tônica ficava aberrante e mesmo repulsivo. Surgira, espontânea, a seguinte concatenação acordal:

Como está se vendo a tríade tonal se apresenta com grande modificação, sem perder por isso a sua personalidade. A dominante não aparece. Em compensação a quarta se agregou ao acorde, mas alterada, processo freqüente da concepção harmônica de Mignone e que parece, embora aquí em modo menor, ressonância no artista, a quarta aumentada bastante comum no folclore musical brasileiro.

o valor dinâmico dos intervalos (³¹). Com isso um
novo conceito de equilíbrio sonoro está aparecendo.
Os gregos tinham a base modal dêles no agudo. Com
o Cristianismo êsse "sentimento" dinâmico das escalas se modificou e principiou colocando a base tonal no grave. A fixação da harmonia fortificou êsse
sentimento, criando o acorde por superposição de
têrças e o baixo numerado. Hoje o baixo numerado
está no mesmo descrédito que a harmonia clássica, e
não só a gente contrói acordes tomando o som grave
por fundamento dêle, como faz do som mais agudo,
ou de qualquer dos intermediários, o elemento gera-
dor do acorde.

_____

(31) Esta confusão contemporânea entre consonâncias e dissonâncias coincide curiosamente com a atrapalhação dos teóricos da
polifonia durante os sécs. XII e XIII. Era o tempo em que a
Polifonia abandonava o seu caráter primário das vozes espelhantes
do órgano e principiava adquirindo um caráter de polifonia pròpriamente dita, não só pela liberdade de movimento das partes (discante), como ainda pela obrigação que o movimento contrário lhe dava
de empregar intervalos harmônicos mais variados. Foi então o tempo
da luta em prol da aceitação das têrças... Ora si dantes as consonâncias e dissonâncias eram cegamente distinguidas por aceitação
da doutrina pitagórica tradicional (8.ª, 5.ª, 4.ª, como consonâncias,
os outros intervalos como dissonâncias), já isso não se dava mais.
Surge um dilúvio de distinções sutís. Jerónimo de Morávia fala em
Concordâncias Perfeitas, Concordâncias Médias, Concordâncias Im-
perícias (as terças e sextas) e Discordâncias Imperfeitas. O Pseudo-
-Aristóteles (também do séc. XIII) já considera as têrças como Concordâncias Médias e as sextas como Discordâncias Perfeitas! Tudo
isso aliás viera se preparando desde o século anterior; e carece não
esquecer que Guido d'Arezzo, embora sempre aceitando a quinta
como consonância, a excluía na formação do órgão paralelístico,
por considerações modais.

Tôda esta trapalhada de nomeação dos intervalos harmônicos prova bem que essa gente principiava adquirindo, de consonâncias e dissonâncias, um conceito novo. Êste conceito novo *já não era mais está-
tico, era dinâmico*. Não se baseava mais na fusão ou não-fusão parada
e isolada de dois ou mais sons simultâneos, porém na possibilidade de
fusão de quaisquer sons *dentro do movimento*. A consonância fôra
sempre definida como fusão sonora tão íntima, que os sons imultâ-
neos eram percebidos como um som só. Ora Jerónimo de Morávia
já entrevê fusões percebidas como sons diferentes, quando define as

E como si tôda essa libertação não bastasse, vários modernos estão se preocupando com a divisão do semitom e a obtenção de novos sons, não empregados teòricamente no Cristianismo. Alóis Haba se tornou a figura mais conhecida dentre êsses pesquisadores. É o apóstolo do quarto-de-tom. Mas não parece possuir uma genialidade criadora tamanha que consiga impor com obras valiosas e influentes, as pesquisas a que se dedicou. Também o mexicano Juliano Carrillo faz atualmente demonstrações duma invenção acústica dêle, intitulada o "Som Treze".

Quarto-
-de-tom.

Êsse aparente caos harmônico leva mas é a reconhecer que carecemos duma definição nova de harmonia. O romantismo pusera o acorde em tal evidência (Beethoven, Chopin, Liszt), em seguida em tal preponderância (Wagner, César Franck, Strauss), em seguida em tal liberdade (Debussy), que êle ficara individualizado psicológica e fìsicamente. Deixou de ter ligação com os vizinhos. Deixou de tomar parte numa concatenação. Mas a liberdade era tanta que o acorde destruíu o conceito clássico da harmonia. Foi de fato a conseqüência a que chegaram os modernos com os processos indicados atrás. A harmonia se efetivara quando chegada à concepção de que era "um encadeamento de acordes". Esta definição realmente não se presta mais pra ser aplicada à harmonia contemporânea.

A perplexidade harmônica foi também uma das causas que levaram os modernos a voltar à prática

Consonâncias Imperfeitas como "quando duas vozes são percebidas à audição *como várias, mas não discordantes*" (Macnadey, pags. 121 a 123). Presos à teorização muito mais que nós, a verdade é que êsses teóricos do discante e do motete, se debatendo em sutilezas e *paliativos* de nomenclatura, já expõem muito a extrema relatividade de consonância ou dissonância das fusões harmônicas. A luta dêles e a nossa são uma só luta. As verificações são as mesmas.

da polifonia. A composição moderna é preferentemente polifônica. Polifonia extraordinàriamente livre, de grande elasticidade: polirrítmica, politonal,
geralmente anti-harmônica.

Por outro lado o caos harmônico afetou a melódica da atualidade. Só os italianos do romantismo
jamais não tinham abandonado a preocupação da
melodia. Foram seguidos nisso principalmente pelas
escolas novas, a russa, a espanhola, a brasileira, que
careciam do canto popular pra se caracterizarem.
Mas por outras partes a melodia sofria ataques vários. Wagner além de tratar a voz brutalmente (o
que diria êle dos modernos!), no que fôra seguido
sobretudo pelos berros de Strauss na "Electra", desenvolvera ao máximo o conceito da melodia-infinita.
E inda destratara a fisionomia melódica por meio dos
motivos condutores, que davam para o tema a importância essencial da obra. E os temas dêle eram
no geral curtíssimos e freqüentemente harmônicos.
César Franck, inventor de algumas das linhas sonoras mais profundas que há, fundamentara o interêsse principal da criação no movimento harmônico das partes. Afinal Debussy vinha coroar essa orientação antimelódica, afirmando positivamente
que na música dêle "não tinha melodia", era só harmonia. Os modernos perseveram nessa duplicidade
de orientação. Mas a-pesar-do até abuso da melodia
popular, do muito que se fala em renovar a tradição
da ária ítalo-russa, da volta de alguns (italianos principalmente) aos setecentistas itálicos e ao gregoriano,
a atualidade parece mais incapaz de melodia que pro-
pícia a ela. Com excessão de alguns italianos, e dum
ou outro músico inventor de linhas melódicas eficazes, há uma real incapacidade contemporânea pra
inventar melodias bonitas. Essa incapacidade inda

se acentua com a desmoralização dos inda melodistas, os Leoncavallos, os Massenets, os Héquel Tavares, os operetistas vienenses, os compositores ianques de canções pra cinema sincronizado. Borrões banalíssimos. E também com a facilidade de emprêgo do canto popular e o interêsse erudito pelas outras partes do conjunto sonoro, harmonia, polifonia, ritmo, instrumentação. Inda persiste abundante a composição de peças pra canto, é verdade. Castelnuovo Tedesco, Pizzetti, Hindemith, Milhaud, Falla, Joaquim Nin, Respighi, Bela Bartok, Blox, o argentino De Rogatis, o chileno Allende, os brasileiros Luciano Gallet, Frutuoso Viana, Vila-Lôbos, F. Mignone, Camargo Guarnieri, quer se fundamentando em elementos de folclore, quer de pura invenção individualista, estão dando ciclos notáveis de canções. Porém a época não parece apresentar a genialidade dum Schubert ou dum Schumann. E a canção aliás deperece por dois lados. Deixa muitas vêzes o aspecto mais lógico de canto acompanhado por instrumento único, pra, confundida com a cantada, se sujeitar a um acompanhamento orquestral (Vila-Lôbos: "Três Poemas Índios", Lourenço Fernandez: "Macumba", F. Mignone: "Cântico dos Obaluayê", Camargo Guarnieri: "Tostão de Chuva", "A Serra do Rola-Moça", "Lundú"). Isso diminue o interêsse da parte melódica e concentra dominantemente o valor da obra na significação do conjunto (Stravinski, "Berceuses du Chat" pra... três clarinetas e canto; Artur Bliss, "Rapsódia" pra orquestra pequena e duas vozes obrigadas). Ora isso é depreciação da melodia e destrói o conceito intrínseco da canção. Além disso (Vila-Lôbos, Schoenberg, Stravinski, Wiener, etc.), usam constantemente efeitos novos de voz na canção. Efeitos que, si enriquecem a música, são golpes duros no bel canto e ainda no conceito da canção. Vila-Lôbos, a êsse respeito, servindo-se de elementos do populário brasileiro, construíu uma série genialíssima de obras pra canto e piano ("Xangô", "Estrêla é Lua-Nova", "Canidê Iune", "Nozani-Ná" etc.). Outro golpe na canção é a peça-minuto; compositores que fazem melodias pra uma quadra, pra dois versos, pra uma frase literária, pra um anúncio, pra um pregão (Castelnuovo Tedesco, Poulenc, Dario Milhaud; Stravinski: "Pribaoutki"; Vila-Lôbos: "Epigramas"; Artur Pereira: "Canções Populares Brasileira").

Na rítmica se nota o mesmo caos e confusão aparente. À primeira vista parece que estamos numa fase predominantemente rítmica; e mesmo um dos progressos técnicos mais importantes do ensino musical da atualidade, é a Ginástica Rítmica, do suíço Jaques Dalcroze. Os compassos se multiplicam ricamente. O cinco-por-quatro de uso tímido no romantismo, agora é freqüente. A êle se ajuntam compassos estranhos, extravagantes e às vêzes tão compridos ("Sonatina" de Casella) que chegam a perder a função de compasso. Vários compositores (Statie, Monpou, Koechlin) chegam a não empregar mais a barra-de-divisão e nem mesmo indicação de compasso. Nesse caso, umas das figuras de nota, geralmente a semínima, é tomada como unidade de tempo do movimento e por ela se organiza o ritmo. A conciência da função movimentadora (dinâmica) das harmonias, levou os modernos a uma preocupação rítmica vasta. Isso ainda se demonstra pela predominância formidável da dansa, não apenas na música, porém na vida contemporânea. Época do Dancing, do Foxtrote, do Tango, do Maxixe, do Bailado. A música moderna se compraz em combinar ritmos de todo jeito. Caíu

Ritmo.

**Polirritmia.** numa polirritmia riquíssima. Chega às vêzes a abandonar os sons e a apresentar ritmos puros, por meio dos instrumentos de percussão (Milhaud, Vila-Lôbos, "Noneto", Camargo Guarnieri no "Concêrto para Piano").

Às vêzes essa polirritmia é tão complexa que deixa de existir pròpriamente. A gente não percebe mais combinação de ritmos diferentes, *mas simplesmente um puro movimento sonoro de conjunto*, indiscernível nas suas partes componentes. E não será talvez essa a realidade mais elevada, mais pura e... mais inesperada da música?... Muitas obras contemporâneas, especialmente de Schoenberg, de Stravinski ("Octeto"), Vila-Lôbos (certos "Choros", "Noneto", "Rude Poema", "Trio", pra instrumentos de sôpro, "Amazonas"), Kreneck, Falla ("Noite nos Jardins de Espanha"), Hindemith ("Kammermusik n.º 2"), F. Mignone ("Babaloxá", "Sonata"), realizam francamente êsse conceito da música, já acenado por J. S. Bach, pelos sonatistas itálicos, por Chopin (Prelúdio n.º 14), pelos impressionistas, e que em última análise é o mesmo da escola franco-flamenga.

**Theremin.** Também uma das importantes descobertas musicais da atualidade, o aparelho eletromagnético inventado pelo russo Theremin, parece profetizar a música como simples movimento sonoro. Êsse "instrumento de Ondas Etéreas", cujos sons, em portamento constante (pelo menos por enquanto), são obtidos por movimentos da mão se aproximando ou se afastando dêle, parece ter um futuro enorme, pois pode dar timbres variados, tôdas as intensidades e tôdas as gradações sonoras existentes dentro do intervalo de semitom. Causou impressão muito grande quando, imperfeito ainda, foi apresentado por Theremin nos centros musicais europeus. Hoje o instrumento de "ondas musicais", na solução que lhe deu Maurício Martenot, já está bastante difundido, e para êle Milhaud escreveu diretamente uma "Suíte".

Era de esperar mesmo que em nossa época surgissem invenções importantes no domínio instrumental... Porque a idéia musical mais aparentemente nova da atualidade parece ser a Música de Timbre. Com os povos primários e as civilizações da Antiguidade, a música se desenvolvera numa fase predominantemente rítmica. Depois foi a fase melódica do gregoriano e da polifonia. Em seguida veio a fase harmônica, desenvolvida às últimas conseqüências com o romantismo impressionista. Atualmente a intenção de criar uma música feita de timbres é manifesta e mesmo expressa claramente por artistas e críticos. A Bateria se desenvolveu muito nas orquestras. Os instrumentos de percussão mais estranhos entram nela, ameríndios, asiáticos, africanos. A influência do jazz-band foi vasta no campo dos instrumentos melódicos. O jazz, invenção dos negros e judeus ianques, influenciou poderosamente a criação contemporânea. Na América do Norte, Eastwood Lane, Gershwin, Burlingame Hill, Luiz Gruenberg, Carpenter, Aaron Copland, Piston o desenvolvem artìsticamente. Na própria Europa o jazz influenciou muito os compositores. Maurício Ravel o aplicou em peças de caráter americano. Kreneck produziu uma ópera-jazz que causou impressão bulhenta nos países germânicos, a "Jonny spielt auf". Stravinski ("Rag-Time", "Piano Rag Music"), Wiener, o italiano De Sabatta, Hindemith, Lord Berners, Vila-Lôbos, sofreram o influxo continuando ou apenas esporádico dêle. Na Alemanha o estudo do jazz faz parte de conservatórios.

*Música de Timbre.*

*Jazz-band.*

A lição do jazz, isto é, a eficiência expressiva dos instrumentos de sôpro; a influência da Radiofonia, salientando o valor dos instrumentos de sôpro; a fraqueza do preconceito orquestral clássico, baseado no quarteto de cordas; a riqueza de efeito dos instrumentos polifônicos de percussão (piano, celesta, balafon, xilofone) na orquestra: vieram corroborar as pesquizas de Debussy, com as sonatas da última fase dêle. Hoje os instrumentos de arco deixaram de ter predominância despólitica. Estão mesmo singularmente desprestigiados, e a literatura pra violino, pra violoncelo, pouco tem produzido com valor real (Pizzetti, "Sonatas"; Ravel, "Tzigane", "Sonata"; Lourenço Fernandes, "Trio Brasileiro"; Jarnach, "Sonata pra Violoncelo"; Camargo Guarnieri, "Concêrto pra Violino", etc.). Certos autores chegam a excluir as cordas da orquestra, como Hindemith no "Concêrto pra Órgão", em que não tem violinos nem violas. Também Stravinski suprime os violinos na "Sinfonia dos Salmos", êle que só empregara arcos no "Apolo"... Em compensação a orquestra ganhou uma riqueza muito maior. E' tratada mais segmentadamente. Assume constantemente as manifestações do "Concêrto Grosso", pela dialogação de instrumentos solistas. Possue forte propensão rítmico-sonora, que atingiu a orquestra de... quatro pianos, empregada por Stravinski ("Les Noces"). Ainda coincide com a expansão do jazz o desenvolvimento das orquestras pequenas pra instrumentos solistas, requerendo virtuoses na execução. Strauss já sistematizara o emprêgo da orquestra pequena na ópera" Ariana em Naxos". Isso hoje é comum (Manuel de Falla: "El Retablo"; Camargo Guarnieri em "Pedro Malazarte" e "Flor de Tremenbé"). Schoenberg, no "Pierrot Lunaire", acompanhada cada número dêsse famoso ciclo de canções com três, quatro instrumentos. Malipiero, pretendendo criar um compromisso entre a orquestra sinfônica e a música de câmara, emprega 11 instrumentos nos "Ricercari", 12 no "Madrigal". Stravinski emprega 11 no "Rag-Time", 6 e bateria na "História do Soldado". Na Alemanha se desenvolveram muito a *"Kammersinfonie"* (Sinfonia de Câmara), nome empregado primeiramente por Schoenberg, e a *"Kammermusik"* (Música de Câmara), orquestra de pequenos agrupamentos instrumentais virtuosísticos.

Também nos trios, quartetos, quintetos, apareceu uma floração nova interessantíssima, empregando os mais desusados e curiosos agrupamentos solistas (Kurt, Weill, Falla, Ezra Pound, António Webern). No "Quarteto Simbólico", Vila-Lôbos emprega flauta, saxofone, celesta, harpa e vozes; nos "Choros n.º 4" une três cornos e um trombone; Lourenço Fernandes no "Sonho duma Noite no... Sertão" ajunta flauta, óboe, clarineta, fagote e trompa; Luciano Gallet nos "Esboços Brasileiros" emprega violino, viola e clarineta.

A preocupação de timbre domina ainda pela pesquisa de feitos novos para os instrumentos e para a voz. A voz é considerada como simples instrumento. Spontini já usara o canto vocalizado em "Nurmahal"... Debussy já utilizara a voz na orquestra, vocalizando nas "Sereias", parte do poema sinfônico "Noturnos". Scriabin fêz o mesmo no "Prometeu", e Medtner escreveu uma Sonata-Vocalise. Hoje é corrente a voz na orquestra, empregada como instrumento (Casella, "Couvent sur l'Eau"; Schreker nos "Ecos Longínquos"; A. Hoerée no "Septimino"). Até em peças de câmara ela entra assim, que-nem no "Quarteto" citado de Vila-Lôbos. E tôda uma série de efeitos vocais novos ou renovados, o uso do porta-

A Voz humana.

-voz (Honegger, "Judith"), glissandos, portamentos arrastados ("Seresta n.º 2" de Vila-Lôbos; o "Livro da Vida" de Obuhow), ruídos, gritos, pararaquices vocais, silábicas ou não (Stravinski; Vila-Lôbos, "Suíte" pra violino e canto, "Rasga Coração", (Seresta n.º 12"), e sons nasais, vocalizações de aspecto novo (Wiener, Vila-Lôbos)... Efeito importante são as falas sonorizadas (*Sprechgesang, Whispering Bariton*) sistematizadas pelos cantores americanos (Jack Smith, por exemplo) e por compositores europeus (Janacek). Com a fala sonorizada Schoenberg criou uma das obras mais importantes da atualidade, o "Pierrot Lunaire". A própria declamação rítmica ou falada livremente está em uso (Stravinski, "História do Soldado").

Instrumentos novos.    Instrumentos novos tentam aparecer também. Os futuristas lançaram os Barulhadores (*Intona Rumori*) de Luiz Rússolo, que imitam os ruídos da vida contemporânea. O quarteto de arcos é completado por Leo Sir com mais seis instrumentos novos. O Serrote, partindo das mãos do serralheiro, vai para o jazz, surge nos concertos ("Concertino" de Ives de Casinière; Wiener) e se instala momentâneamente na orquestra de Honegger. Emanuel Moor lançou em 1921 um piano com dois teclados, facilitando muito a técnica pianística. Por outro lado Hope Jones, com o Unite Organ, modernizou o Órgão sôbre novos princípios e o enriqueceu extraordinàriamente. Desenvolvimento importante é o dos instrumentos mecânicos. Diante dos progressos do Gramofone e das suas possibilidades reais de expansão, a música tem atualmente nêle e na Radiofonia dois instrumentos poderosos que já estão modificando bastante a manifestação social dela. E também encontra na Pianola e outros pianos mecânicos, possibilidade tão ricas, tão livres dos limites pianísticos da mão humana, que muitos compositores (Stravinski, o inglês Goossens, Malipiero, Casella, o americano Jorge Antheil) escrevem diretamente pra êles. Recentemente lançaram também um violino mecânico, o Violonista. E nos melhoramentos por que passou a Ópera, de Berlim, trataram de organizar uma orquestra especial contendo só instrumentos eletromagnéticos... E de fato um desenvolvimento lógico do experimentalismo instrumental de agora, leva não só a imaginar instrumentos novos, mas orquestras novas também. Foi o que já fêz o compositor suíço Alberto Talhoff no seu, não sei se diga, oratório, "Monumento aos Mortos". Obra complicada, construída pra côro falado, orquestra, dansa e jôgo de luzes. Aí a orquestra abandona por completo o seu conceito clássico e os instrumentos europeus. E' exclusivamente de percussão, composta dum agrupamento de gongos asiáticos, metálicos com nuanças de sonoridade, discos de aço, timbales, tambores, triângulos, xilofones...

Se vê por êste despropósito de pesquisas generalizadas pelo mundo todo, que estamos numa fase em que o timbre predomina ($^{32}$).

Quando à forma, tem de tudo. A insatisfação inquieta renova tôdas as formas do passado. O madrigal, a cantata, a ária, a sonata clássica, a cíclica,

Forma.

(32) Mas tanta preocupação como timbre, tantas pesquizas do colorido orquestral não deixaram de ter uma conseqüência contraditória, muito bem salientada por Egon Wellesz. E' que no máximo de riqueza instrumental, experimentados os efeitos de timbre mais estranhos, com uma técnica orquestral prodigiosa, o compositor contemporâneo se vê na contigência amarga de verificar que "os instrumentos podem apenas aproximadamente realizar a imagem sonora interior do artista", e, pois, tôdas as sutilezas de timbração orquestral são sempre relativas! Nasceu disso uma espécie de *ceticismo sinfônico* que levou os compositores a reorquestrarem constantemente as

a sonatina, a ópera cómica, a ópera séria, a tocada, o oratório, o bailado, a fuga, o ricercar, a suíte, a variação, aparecem modernizadas e apresentando no geral uma contradição. Formas nascidas pela psicologia e exigências de fases históricas que se acabaram, na realidade elas não podem representar o espírito contemporâneo. E se percebe de fato que êste não se acomoda bem nelas. Só as mais livres permitem acomodação moderna. Se fala muito em "volta" a qualquer tendência ou gênero passado. Querem *voltar* a Bach, querem voltar a Glinka, querem voltar a Scarlatti, a Tchaikowski, à ópera cómica, à ópera séria (Honegger), à ópera russo-italiana (Stravinski), a Couperin, à sonata de Haydn. A figura impressionante, absorvente, apaixonante de Stravinski se tornou o protótipo dessas "voltas". Stravinski tem "voltado" muito...

Também os títulos perderam muito o valor de designativos formais. Sonata, sonatina, suíte, quarteto, sinfonia, às mais das vêzes não indicam formas. Indicam apenas caráter ou tamanho de obra. E também designam formas renovadas, ou anteriores à expressão formal que tiveram no Classicismo. A ópera às vêzes é uma suíte de cenas cantadas, sem nenhuma ligação entre elas, como nas admiráveis "Sete Canções" de Malipiero. Aparece constantemente diminuída a um ato só, principalmente entre os germânicos. E Milhaud lançou a Ópera-Minuto, curtíssima!

---

suas obras pra que estas adaptassem às circunstâncias de momento e pudessem ser executadas. Vila-Lôbos lustra tìpicamente êste ceticismo sinfônico com as diversas remanipulações a que sujeitou o "Momo Precoce". Camargo Guarnieri escreveu "como sentia", pra grande orquestra, a instrumentação de sua ópera bufa "Malazarte", com a intenção de em seguida reduzí-la a orquestra de câmara, pra que pudesse ser executada...

As formas coreográficas predominam muito. São constantes as suítes renovadas, que-nem a "Alt Wien" de Castelnuovo Tedesco; a "Suíte 1922" de Hindemith; as "Saüdades do Brasil" de Milhaud; a "Suíte" de Hernani Braga, a "Suíte Brasileira" de Respighi, em que as dansas modernas tomam o lugar das alemandas, gigas e sarabandas. No Bailado, a música dos nossos dias teve talvez a sua melhor expressão até agora. As mais reconhecidas obras-primas da atualidade são quase tôdas bailados. Stravinski dominou o gênero com a "Sagração da Primavera", "Petruchcka", "Pulcinella", de influência universal. Manuel de Falla, o grande nome atual da escola espanhola, nos deu "Tricórnio", "Amor Bruxo". Casella ("La Giara"), Vitório Rieti ("Barabau") na Itália; Prokofieff ("Amor das três Laranjas", "Chout"), os franceses Poulenc, Auric, deram no bailado o melhor da invenção dêles, assim como o brasileiro Francisco Mignone com o seu admirável "Maracatú de Chico-Rei". Também aparecem nas escolas nacionais principiantes, dansas populares renovadas. O argentino De Rogatis escreve "Jarvais"; os brasileiros lançam o Maxixe, a Congada (Francisco Mignone), o Cateretê, o Puladinho, o Corta-Jaca (Frutuoso Viana), o Dobrado, etc. (Suíte pra quatro mãos, de Luciano Gallet; Hernani Braga, Camargo Guarnieri), os portugueses empregam a Chula e o Fado. Vila-Lôbos e Camargo Guarnieri, se utilizando de têrmos musicais populares, batizam as séries de obras dêles com os títulos de Serestas, Choros, Cirandas, Cirandinhas, Ponteios.

Nomes, nomes antigos, nomes modernos, movimentos rítmicos populares, processos de compor novos... Mas uma verdadeira forma nova inda não apareceu: "A criação duma forma nova não parece

*Suíte.*

*Bailado.*

*Critério musical da atualidade.*

essencial ao espírito contemporâneo (observa o compositor Egon Wellesz), êle se empenha mais é em relacionar mais intimamente a forma e o seu conteúdo"... Frase talvez vaidosa, que fica sem valor nenhum si a gente imagina um bocado na integralidade absoluta das obras geniais do passado. Na verdade parece que os modernos estão dissolvendo a forma, do mesmo jeito com que estão dissolvendo a melodia, a harmonia, o ritmo... Interêsse ou desinterêsse melódico? Interêsse ou desinterêsse polifônico? Interêsse ou disinterêsse harmônico, rítmico, formalístico, sinfônico?... A única resposta possível é: interêsse formidável pela... Música. E agora se poderá modificar, imagino que pra melhor, a observação de Egon Wellesz. Em tôdas as épocas e escolas se observa uma preferência às vêzes absoluta, às vêzes acentuada apenas, por um dos elementos constitutivos da manifestação musical. Nos gregos o ritmo sonorizado predominava no interêsse artístico da criação. Com o gregoriano o ritmo era deixado à-parte e o movimento exclusivamente melódico solista predominou. Com os franco-flamengos interessava, quase que exclusivamente às vezes, a combinação matemática de muitas linhas melódicas. Etc. etc. Os italianos sempre se manifestaram sensualmente melodistas. E teatrais, reafirma Guido Gatti. Os alemães são preferentemente harmonistas... Mesmo êstes caracteres nacionais andam muito desprestigiados hoje em dia, a-pesar-de-todo o nacionalismo contemporâneo. Nem os italianos se mostram mais interessados pela invenção melódica nas obras dêles, nem os alemues pela harmonia. São todos igualmente harmonistas e melodistas; apenas o caráter psicológico nacionaliza as obras. Todo o derrotismo aparente;

de Melodia, Instrumentação, Harmonia, Forma, da
fase contemporânea, indica apenas interêsse mais
completo pela Música. Jamais não se inventou tanta
música. Abandonando as economias tôdas do passado: a função económica do motivo rítmico, da
forma preestabelecida, das tonalidades restritas, da
modulação harmônica, do desenvolvimento temático
(que fêz Bach, dum tema só, construir um livro
inteiro: "Arte da Fuga"); os contemporâneos caíram
num aparente esbanjamento sonoro. Com os elementos de certas obras modernas, César Franck ou
Beethoven fariam dez obras...

Mas todo êsse desperdício, todo êsse derrotismo
destruïdor é apenas aparente. Mudado o conceito
de música, êsses vícios modernos se tornam lógicos.
E de fato: é a maneira de conceber a música que se
modificou talvez profundamente. Paulo Becker
constata que a música está mudando o princípio
de Expansividade, antigo, pelo princípio de Intensidade... Vou explicar como entendo isso.

Concepção
totalizada
da música.

A música, desde o início da polifonia, vinha sendo concebida e criada por expansão dos elementos
musicais. *Era por isso espacial*... Se orientou *horizontalmente* na polifonia e *verticalmente* na harmonia. A própria constituïção da orquestra, organizada por naipes separados, era espacial. O conceito
de Forma é necessàriamente espacial. O conceito
da melodia infinita, que ondula sôbre a sinfonia, os
processos de desenvolvimento dum tema, são espaciais
também. Hoje a música vai gradativamente abandonando êsse princípio de Expansividade dos elementos,
e os amalgama todos pra se intesificar, pra ser mais
totalizadamente Música. *De espacial se tornou temporal*. Música antiespacial, antiarquitetônica. A
música polifônica era compreendida horizontalmente.
A música harmônica era compreendida verticalmente.

Metáforas abusivas a que a música moderna não se sujeita mais. A música de hoje *tem de ser compreendida temporalmente* no tempo, momento por momento. A compreensão da obra resultará mais duma saüdade, dum desejo de tornar a escutá-la, que da relembrança contemplativa que fixa as partes, evoca, compara o que passou com o que está passando, reconstrói, fixa e julga. A relembrança pensa. A saüdade sente. Nisto reside uma diferença essencial que explica o cinematismo (mobilidade, movimentação musical) contemporâneo.

Tem duas provas principais dessa diferença entre o conceito de Música-Espaço e de Música-Tempo: a liberdade formal e a predominância do timbre.

A liberdade de forma, a falta de desenvolvimento temático, leva a compreensão a se prender ùnicamente ao que escuta no momento, sem se referir ao que passou. Quando a gente escuta uma Fuga, uma Sonata, uma Ária, mesmo um Drama Lírico ou Poema Sinfônico, tudo se desenvolve em nossa compreensão musical em relação às partes da obra, aos temas aparecidos e cujo desenvolvimento a gente *reconhece;* às tonalidades usadas; à condução modulatória do movimento passando duma tonalidade a outra (sempre a tonalidade, *só mudando de lugar*); a um plano intelectual preestabelecido pelo compositor e reconhecido do ouvinte. (E tanto esta última observação é verdadeira que, neste século, se deu um sério movimento em favor da música... musical de Wagner. Era praxe falar que pra compreender Wagner carecia conhecer a significação intelectual dos motivos condutores... Por fim os wagnerófilos perceberam que isso era contradizer o valor musical do gênio; e críticos e comentadores dêle principiaram falando que não carecia conhecer os motivos condutores wagnerianos,

nem a significação simbólica dêles, nem saber música
a fundo, para compreender Wagner, *bastava escutar*).
Ora uma obra de contemporâneo "moderno" muitas
vêzes até emprega formas tradicionais ("Trio Brasileiro" de Lourenço Fernandes; "Sonata" de Stravinski; "Quarteto" de Mário Labroca; "Sonatina" de Camargo Guarnieri, "Sonata" de Francisco Mignone, etc.
etc.) porém essa forma não afeta mais a compreensibilidade do ouvinte. Não só essa forma está muito
*disfarçada* no meio da sofística harmônica, rítmica,
polifônica, que o compositor emprega, como não faz
parte mais da grandiosidade da obra. Os temas, os
movimentos harmônicos, rítmicos, etc. empregados,
quando voltam, são apenas reconhecidos pelo ouvinte,
como se fôssem uma pessoa conhecida encontrada *por*
acaso no meio da multidão. Si não aparecessem ali
não fazia mal. A falta passava despercebida. Ao
passo que numa obra antiga essa falta seria per-
cebida e se tornava defeito e êrro. As obras
contemporâneas são jorros de música contínua. Principiam, acabam sem uma razão de ser formal, por
pura movimentação e cessação do estado lírico no
compositor.

Quanto à predominância de timbre: o efeito
instrumental tendo se tornado a base da criação, as
músicas modernas são na realidade *intranscrevíveis*.
Uma sinfonia de Beethoven, uma ópera de Pergolesi,
um poema sinfônico de Liszt, podem perfeitamente
ser compreendidos na transcrição pra piano. Uma
obra moderna, às mais das vêzes, perde totalmente
não só o efeito como a compreensibilidade, se fôr
transcrita assim. Essa intransportabilidade, que
vinha aparecendo com os impressionistas, hoje é
absoluta. É que a música do passado se baseava
principalmente na *elevação abstrata* (sem timbre,

pois) do som. A música do presente se baseia na
*elevação concreta* (com timbre, pois) do som. A
elevação abstrata do som existe no pensamento, que
gradua num plano imaginário as alturas sonoras diferentes: é *primordialmente espacial*. A elevação
concreta do som existe no ouvido, e depende pois
absolutamente do timbre em que êle está se realizando: é *primordialmente temporal*.

A música moderna se prende a revelar o movimento sonoro que passa. Só o presente e o futuro
são realmente tempo. O passado, por causa de ser
fixo, imutável, é muito mais espacial que temporal.
O sabiá enquanto vive é tempo. Morto, empalhado,
êle ocupa um lugar na vitrina do museu: é espaço. A
música de agora baseia a sua razão de ser no que está
soando no momento, e adquire a sua compreensibilidade pelo que virá depois. Nela o que passou:
passou. É o passado que justifica o presente. Da
mesma forma o presente justifica o que tem de vir.
O crítico musical russo Boris de Schloezer, chamou a
música de Stravinski de "objetivismo dinâmico"...
Os músicos e literatos muitas vezes repetem e generalizam hoje essa expressão que me parece estreita. *Movimento sonoro* é o conceito da música atual — única
arte que realiza o Movimento Puro, desinteressado,
ininteligível, em tôda a extensão dêle (³³). Êste me
parece o sentido estético, técnico e, meu Deus! profé-
tico da música da atualidade.

---

(33) O crítico J. M. Schneider, estudando obras de Schoenberg, explica: "O princípio estético de Schoenberg é que tôda a
idéia musical *não se realiza sinão uma vez só* (...) Schoenberg
teve a coragem de ir até a última conseqüência dêsse princípio. E
pois que nada se repete, essa música é *absolutamente atemática,
sem arquitetura nenhuma*. O resultado é uma obra repleta de
idéias musicais excessivamente curtas, violentas, intensas.." Ir-
ving Schwerké, estudando o compositor francês Migot, explica:
"O ouvinte que deseja compreender, primeiro tem de saber es-

Na verdade as formas preestabelecidas do passado (Fuga, Sonata, Poema Sinfônico) não impedem que as obras antigas sejam também puro jôrro sonoro no tempo. Mas poder-se-á supor que o ouvinte musicalmente inculto, que escuta e ama a "Heróica", o "Escravo", a "Ciranda, Cirandinha", só as compreende pelo "jôrro sonoro no tempo" que essas músicas também são? Será que as não compreende especialmente por causa dos elementos espaciais que estão nelas; por causa da Forma, do tonalismo harmônico, das repetições e transformações temáticas, do lado rítmico?... O certo é que nas obras populares a memoriação, e portanto a compreensibilidade, obrigam o povo a construir por meio da repetição de elementos, isto é, por uma concepção musical, eminentemente formalística e espacial. O Rondó, a Estrofe e Refrão, são as formas mais específicas e genéricas da criação inculta, e nesta a gente pode encontrar a base de tôdas as formas eruditas. É pois natural que a forma das obras eruditas exerça uma influência decisiva a-pesar-de inconciente, na compreensão que o ouvinte inculto possa ter delas. Porém, demos de barato que o ouvinte inculto compreenda as obras musicais, mesmo formalísticas, como puro jôrro sonoro no tempo. Também, por outro lado, as músicas modernas que escapam das formas tradicionais populares e de arte erudita, sempre, pois que são obras, hão-de possuir uma Forma. E esta forma, depois de assimilada pela gente, há-de sempre influir nas futuras reaudições da mesma obra, como elementos de que a

cutar. Terá de saber que a música de Migot *nada tem de temática* no sentido em que esta palavra é geralmente compreendida; *não nenhum sistema harmônico , nenhum plano rítmico*. O ouvinte nada tem a fazer que *seguir o jôrro das linhas sonoras*". Se observe também o admirável Adágio, do "Quarteto de Honegger".

gente se utiliza para a compreensão dela. Portanto,
à peça sem forma preestabelecida, eis de novo ajun-
tada uma compreensibilidade formal, isto é, metafó-
rica e intelectualmente espacial. Qual pois a diferença entre a música de até agora e da atualidade?
O que será que distingue o "puro movimento sonoro
no tempo" da música de agora, do "puro movimento
sonoro no tempo" da música de até agora? A diferença é essencialmente conceitual. Hoje a forma
das obras musicais é uma resultante direta da invenção, ao passo que até agora, na infinita maioria dos
casos, era o elemento determinante da criação. Sempre a forma determinou em grande parte a invenção.
E a facilitou. E a prendeu. Do mesmo jeito que o
verso metrificado determina, facilita e prende a invenção poética. Era um mal? era um bem? Nem
bem nem mal: era apenas diferente. Hoje porém
isso não se dá mais, no geral. A maior totalização
conceitual da música, hoje em dia, é provocada por
a forma nascer diretamente da invenção e não estar
mais preestabelecida. A música se tornou mais essencialmente temporal, por isso. Ao passo que dantes
a parte decisória da forma na criação implicava no
conceito e na sensação de música um sentimento essencial e primordial de espacialidade. Que agora
deixou de existir. Hoje, quando o compositor inventa a sua matéria musical, esta adquire a forma que lhe
é inerente — a única que é totalmente representativa, e comunicativa daquela determinada matéria
musical. Poderão retorquir que isso é apresentar
diamantes brutos... Ao que, só respondendo que
dantes as paredes de rebôco eram pintadas pra fingir
mármore... Mas ambos os argumentos são falsos
porém. Basta dizer que a invenção humana "inventa" (palavra que significa: *compor com elementos*

*conhecidos*), portanto, não sujeita-se ao determinis-
mo com que a natureza cria sem inventar. Não se
trata, na música de agora, de expor a matéria bruta,
*pois que se inventa, se compõe*. E' possível até que
só depois de muito retocada, conformada, corrigida, a
matéria da invenção humana adquira a sua essenciali-
dade eficiente, o seu ângulo de vista verdadeiro e ori-
ginário, que se perdera na precariedade humana em
que a registração pelo homem das suas idéias é sempre muitíssimo mais lenta, e desencaminhadora, que
o momento de invenção. Adquira a sua Forma enfim. Do mesmo jeito que se talha o diamante pra
que êste adquira tôda a sua eficiência, e única verdade
expressiva.

Devo notar que neste capítulo, que não é propria-
mente histórico, pois me falta perspectiva de tempo
pra julgar, estou me limitando a expor e comentar
conceitos de Estética Musical, e tentativas ou sintomas
da realização dêles. Não concluo coisa nenhuma.
A afirmativa de que a sonorização definitiva da música era esta, era êste realizar no tempo um exclusivo
movimento sonoro tão fundido e tão unitário que, empregando todos os elementos do som, nulificasse todos
êles, fizesse todos desaparecerem em proveito do "puro jôrro sonoro no tempo", pode ser uma afirmativa
derrotista, anti-social, etc. Mas não sou eu que a prego, embora ela seja infinitamente estética. A música,
desprovida de forma porque se realiza no tempo e é
imponderável, desprovida do conceito de elevação sonora, pois que isso não passa de metáfora enganadora,
provida únicamente de elementos musicais por excelência, os sons formando um som só, de conjunto, se
transformando em timbração, intensidade e número
de vibrações, como se fôsse uma faixa de gaze movendo no vento... Me parece que pelo menos essa é

a última conseqüencia do conceito de Música Pura,
que os clássicos *pareciam* ter realizado, e que, já agora, atingido o nosso momento da evolução histórica da
música, me parece que êles apenas profetizaram...
Mas êstes pensamentos me enchem a vida de trevas
impenetráveis.

Alfredo Lorenz, num livrinho que fêz bastante
sensação, conclue exatamente o contrário: que a música moderna, é polifônica e portanto espacial. Êsse
livro, aliás, foi mais atacado que louvado... O defeito principal dêle é ter uma tese preestabelecida que
a cultura do autor se esforçou por justificar. Alfredo
Lorenz acha que o movimento das gerações humanas obriga a música a mudar de conceito de três em
três séculos: respectivamente Polifonia (Música-
Espaço) e Harmonia (Música-Tempo). Segundo o
ritmo trissecular consecutivo de Música-espaço e Música-tempo, calhou para a fase contemporânea os
têrmos Música-espaço; e, pela fatalidade da tese, o es-
critor foi obrigado a ver espaço na música de hoje.
Deus me livre de negar preocupação polifônica aos
contemporâneos! Porém não tenho tese. E não
posso aceitar a de Alfredo Lorenz. Existe polifonia,
como existe harmonia, como existe melodia, como *existe tudo* na música de agora. É a fusão absoluta disso
tudo, a "maior intimidade entre forma e conteúdo",
pra me utilizar da frase de Wellesz, que implica destruïção de espaço e suas principais circunstâncias e
fenómenos, e faz da música atual, nas suas manifestações mais características, o livre jôrro sonoro no tempo que julgo ver nela e por onde a compreendo e
quero bem.

# ÍNDICE ALFABÉTICO

(Os algarismos romanos indicam capítulo, os árabes indicam página. A bibliografia das obras e autores citados está inclusa neste Índice.

ÉSTE LIVRO
FOI COMPOSTO E IMPRESSO
NAS OFICINAS DA
EMPRÊSA GRÁFICA "REVISTA DOS TRIBUNAIS" S.A.,
À RUA CONDE DE SARZEDAS, 38, SÃO PAULO

EM 1967

ANO 30.º
DA FUNDAÇÃO DA
LIVRARIA MARTINS EDITÔRA S.A.